Omslagontwerp:	Erik de Bruin, Hengelo
	www.varwigdesign.com
Druk:	Koninklijke Wöhrmann
	Zutphen

3e druk, 2007

ISBN 90-76968-39-X

© 2004 Uitgeverij Ellessy
Postbus 30227
6803 AE Arnhem
www.ellessy.nl

ONDER DE OPPERVLAKTE

THRILLER

SANDRA BERG

ELLESSY
CRIME

In de duisternis van mijn hart
Blijft mijn geheim verborgen
Alles om mij heen is zwart
Doodsbang voor morgen
Doodsbang voor de regen en de wind
Doodsbang voor de dag en de nacht
Voor wat zich onder het oppervlak bevindt
Voor wat diep daaronder op mij wacht.
Smeek ik om hulp zonder een woord
Maar er is niemand, niemand die mij hoort

(Alexandra)

PROLOOG

Renée keek door de spleten in het hout naar buiten. Soms dacht ze iemand te horen, maar zeker wist ze het nooit. Ze zag niemand. Het maakte ook niet uit. Ze kon toch niet schreeuwen. Ze kon helemaal niets. De huid onder de tape op haar mond gloeide. Ze dacht zelfs dat ze de huid rook. Een weeïge geur. Ze herinnerde zich de keer dat ze haar pols had ingetapet. Hoe lang? Twee weken? Drie misschien. Ze had toen hetzelfde geroken. De pijn was ook hetzelfde geweest. Die zeurende, branderige pijn. Haar vel had losgelaten. Met de sporttape had ze haar vel eraf getrokken. Wat zou er nu gebeuren? De tape zat nog niet zo lang, maar de huid rond haar mond was teer. Net als haar lippen. Liet het vel los? Kreeg ze zo'n groteske mond als een clown? Als ze zo in haar salon moest werken…
Je werkt nooit meer in een salon.
Jawel, ze moest zichzelf voorhouden dat ze daar terug zou komen. In haar eigen salon. Mensen verzorgen en opmaken. Maskertjes, peelings… Ze had alle vernederingen doorstaan. Alles gedaan wat er van haar werd verwacht. Ze deed het nog steeds. Ze deed wat ze moest doen om te overleven.
Je overleeft het niet.
Het moest. Ze huilde zacht.

1

'Heeft hij gezegd waar het over ging?' vroeg Ian. Hij keek opzij, naar Julia.

Julia speelde met een pen. 'Nee.'

'Heeft hij uitdrukkelijk naar ons allebei gevraagd?' Hij richtte zijn blik weer op de weg voor hem en schakelde.

'Niet echt.'

'Waarom sleep je mij dan mee?'

'Omdat het hoog tijd wordt dat je weer eens iets nuttigs doet.'

'Ik was aan het werk.'

'Werken?' Ze grijnsde. 'Ik heb je werkstuk gezien. Benen zonder einde, grote borsten en rood haar. Je zult wel graag overwerken.'

'Lauren is een model.'

'Heb je haar dat wijsgemaakt?'

'Nee, dat zegt ze zelf. Ze wil glamourfoto's om op te sturen naar een of ander magazine.'

'Naaktfoto's dus?'

'Zoiets ja.'

'Spraakmakende foto's. Ongetwijfeld. Een beetje anders dan wat ik van je gewend ben, maar ook niet zo gevaarlijk. Tenslotte word je ook een dagje ouder. Bijna vijftig?'

'Ik neem aan dat je te voet verder wilt?'

Julia lachte. 'Nou ja, voor iemand van jouw leeftijd krijg je in elk geval nog aardig wat aangeboden.'

'Hou eens even op. Ik ben verdomme pas zesendertig.'

'*Al* zesendertig, zou ik zo zeggen. Dat is wel heel wat ouder dan ik ben, nietwaar?'

'Vier jaar en heel wat verstandiger.'

'Oh. Ben je daarom pas net uit het gips omdat je aan die blondine, hoe heette ze ook al weer, Amelia, America, of zo, wilde laten zien dat je ook zonder touwen gemakkelijk die rots op kon.'

'Agatha. Het was Agatha en ik klom niet op een rots, maar liep tegen een stomme zandberg op. Ik bleef met mijn voet in een gat steken.'

'Dat is stom. Die Agatha had het over klimmen…'

'Ze schepte graag op over mijn kwaliteiten, die op zich nog lang niet slecht zijn. Op geen enkel gebied…'

'Ja, ja. Daarom vertrok ze zeker weer en kon ik voor je zorgen.'

'Ze vertrok omdat ze terug naar Zweden moest. Anders had ze mij heus wel verzorgd. Voor jou is het trouwens toch een kleine moeite om mij een beetje te helpen. We wonen tenslotte in hetzelfde huis. We zijn praktisch getrouwd.'

Julia lachte opnieuw. 'Dan heeft ons huwelijk toch al veel geleden, aangezien we ieder ons eigen woongedeelte hebben.'

'Vandaar dat je mij zo veel zelf liet doen.'

'Je had alleen je been in het gips. Met je handen was niets mis.'

'Je had mij best lekker kunnen vertroetelen. Mannen hebben dat nodig, weet je.'

'Weet ik. Daarom ben ik niet getrouwd.'

'Nog niet, maar er zit wel vooruitgang in onze relatie, want die bovenverdieping van jou staat de meeste tijd leeg omdat je niet zonder mij kunt. Het is dat je nog net in je eigen bed slaapt, maar dat verandert ook nog wel.'

'Reken er maar niet op. We zijn al te lang bevriend. Ik ken je te goed. Bovendien ben ik jouw type niet. Ik heb hersens.'

'Is dat zo? Nooit iets van gemerkt.'

'Dat komt omdat je daar niet op let. Daarom werk je met typetjes als Agatha en Lauren.'

'Het verdient in elk geval goed,' zei Ian.

'Ja, ja.'

'Andere opdrachten komen wel weer. Aangezien ik met jou

op pad ben…Wat mij meteen op de volgende vraag brengt. Ik neem aan dat je mij niet echt meevraagt uit bezorgdheid over het niveau van mijn werk, dus waarom dan wel?'

'Ik heb die opdracht nodig. Nee, dat klopt niet. Ik heb het geld nodig.'

Ian grijnsde. 'Je hebt altijd geld nodig.'

'Net als jij, vandaar. Piet wilde mij met die slijmbal Van Deursen op pad sturen.'

'Van Deursen? Die neef van zijn vrouw?'

'Die ja. Ik heb gezegd dat ik alleen met jou werk.'

'En dat vond hij goed?'

'Het is mij een rotzorg wat hij vindt.'

'Hij betaalt je.'

'Nou en?'

'We zijn weer erg lief. Rotdag gehad gisteren?'

Julia knikte. 'Ik was aangenomen bij *Cobra*. Gisteren was mijn eerste werkdag.'

'*Cobra*?'

'*CC. Cobra Clothes*. Een kledingbedrijf vlak bij Deurne. Ik kon op de afdeling export werken.'

'Wat gebeurde er?'

'Ik moest meteen bij de chef komen; zo'n gefrustreerd kereltje dat zich wel even wil laten gelden ten opzichte van het personeel. Hij behandelde mij verdomme als een klein kind. Ik was nauwelijks vijf minuten te laat, begint die daar te zeiken over het aanhouden van de werktijden, anders zou ik mijn baan verliezen. Netjes gekleed zijn, anders zou ik mijn baan verliezen. Beleefd zijn, anders zou ik mijn baan verliezen en meer van die flauwekul. Ik was woedend toen ik zijn kantoor uitliep. Maar goed, ik ging toch aan het werk en toen kwam hij nota bene naast mij staan. De klootzak. Hij kwam naast mij staan en begon over alles wat ik deed te emmeren. De labels hingen niet goed, de notaties stonden niet recht onder elkaar en meer van die onzin. En dan pakt hij mij ook nog een keer vast en blaast zijn rottige stinkadem in mijn gezicht om zogenaamd iets uit te leggen. En maar knijpen met die handen...'

'Wat heb je gedaan?'vroeg Ian geamuseerd.

'Hem een klap verkocht en hem veel plezier gewenst met zijn labeltjes en notaties. Ik heb nog meer gezegd, maar ik denk niet dat je dat allemaal wilt weten.'

'Helemaal mijn meisje. Op het uitzendbureau zullen ze wel weer blij met je zijn.'

'Ze hebben mij verzocht om een ander bureau te zoeken. Ze luisterden niet eens naar mijn kant van het verhaal.' Ze klonk werkelijk verontwaardigd.

'Ze kennen je.'

'Och, hou toch op.'

'En nu ga je dus toch weer voor Piet Heug werken?'

'Hij betaalt goed.'

'Soms.' Ian trapte de rem in en stopte met een ruk voor een groot grijs gebouw. 'Ik hoop dat het de moeite loont, anders ga ik terug naar Lauren.'

'Die foto's kun je altijd nog maken. Bovendien wil je toch zeker meer dan alleen dat.'

'Lauren heeft leuke vriendinnen.'

Julia zuchtte. 'Laat maar.' Ze liep voor hem uit door de grote klapdeuren het kantoor binnen. Het geluid van ratelende toetsenborden, rinkelende telefoons, gedempte stemmen achter bureaus en een heftige discussie bij de koffieautomaat waren vertrouwd.

'Bijna als thuiskomen,' verwoordde Ian haar gedachten.

'Bijna.' Julia groette een paar bekenden en liep rechtstreeks door naar het kantoor van Piet Heug. Ze liep naar binnen zonder te kloppen.

'Piet, wat heb je?'

De dikke redacteur keek op van zijn papieren en staarde Julia door zijn brillenglazen aan. 'Nooit van kloppen gehoord?'

Julia haalde haar schouders op. 'Zo druk heb je het toch niet.'
'Ik werk. Dat kun jij meestal niet zeggen. Ga zitten.'Hij wendde zich tot Ian. 'Ze wil alleen met jou werken.'
'Weet ik.' Ian zakte neer in een van de versleten fauteuils.
'Ze heeft gelijk. Van Deursen is een neef van mijn vrouw. Ik
geef hem opdrachten om van haar gezeur af te zijn, maar hij
is nog te stom om een fototoestel vast te houden. Hij slijmt
zijn weg naar boven. De meeste journalisten hebben de pest
aan hem.'
Hij grabbelde even tussen zijn papieren en haalde er een fax
tussenuit.
'Deze heb ik vanmorgen gekregen. Ene Chris Walters heeft
zijn vriendin als vermist opgegeven. Ze schijnt al vier dagen
weg te zijn. Haar auto is op een parkeerplaats van het Grotelse
Bos in de buurt van Helmond aangetroffen, maar van haar is
geen spoor te bekennen.'
Hij overhandigde Julia de fax.
'Denken ze aan een misdrijf?' vroeg Julia. Ze staarde naar het
papier in haar handen.
Piet knikte. 'Volgens vrienden en familie is ze niet een type
dat zomaar verdwijnt. Bovendien wees alles in haar appartement erop dat ze de avond van haar verdwijning nog terug
had willen komen.'
'Haar appartement is doorzocht?'
'Ja. Eigenlijk vooral omdat haar auto uitgerekend bij dat bos
werd teruggevonden. Renée Silver was niet bepaald het type
voor een flinke wandeling en iets anders is daar niet. Ze vermoeden ongetwijfeld dat er meer achter zit. Waarschijnlijk
had ze een afspraak of zoiets.'
'Sporen van geweld?'
'De auto is ter plaatse onderzocht en ze hebben daar met speur-
honden rondgelopen. Een van mijn mensen zag het toevallig
toen hij in die buurt moest zijn voor een interview. Hij is natuurlijk gestopt en heeft min of meer toevallig opgevangen dat ze

in een andere auto is gestapt. Ik heb geen idee of dat vrijwillig is gebeurd. Onze man stelde vragen maar zoals gewoonlijk liep de recherche weer geheimzinnig te doen en zei niemand een woord.' Hij pruilde een beetje als een klein jongetje dat zijn zin niet kreeg.

Julia glimlachte. 'Je weet ook wel dat de mensen daar niets mogen zeggen. Niet de jongens die op dat moment met een onderzoek bezig zijn.'

'Je kunt wel merken dat je met een rechercheur hebt gerotzooid. Hoe is het daar trouwens mee?'

'Met Ben? Goed neem ik aan.'

'Jammer dat hij hier niet op zit. Misschien kon je via hem nog wat informatie lospeuteren.'

'Vergeet het maar gerust.'

'Die Julia. Altijd even bereidwillig om mee te werken.'

'Alleen binnen bepaalde grenzen.'

'Sinds wanneer?'

'Uitgezwetst?'

Piet grijnsde. 'Het doet er ook niet toe. De woordvoerder van de recherche hier is een jong manneke die heel veel lult en niets zegt. Daar zullen ze hem wel op hebben aangenomen. In elk geval ben ik van hem ook nog niet echt wijzer geworden. Daarom heb ik jou nodig.'

'Denk je dat hij mij wel iets zegt?'

'Weinig kans. Het is jouw type niet. Jou kennende heb je hem binnen tien minuten op de kast en spreekt hij nooit meer met journalisten. Ik wil graag dat je naar die Chris Walters gaat. Probeer hem aan de praat te krijgen.'

'Wat is die Chris voor iemand?'

'Iemand die helemaal niet van interviews houdt.'

'Oh?' Julia keek Piet aan.

'Ik weet zeker dat jij hem wel van gedachten kunt doen veranderen.'

'Denk je? Hij zal niet blij zijn als ik met Ian op de stoep sta.'

'Waarschijnlijk niet, nee. Praat hem maar om.'

'Waarom ik? Waarom niet een van die mannen die hier in vaste dienst zijn?'

'Ik had Arnold erop gezet, maar dat was geen succes.'

'Arnold is een arrogante hufter.'

'Hij schrijft goed.'

'Hij kan niet met mensen omgaan.'

'Jij wel. Vooral met autoriteiten,' zei Piet sarcastisch.

Julia haalde haar schouders op. 'Iedereen heeft zijn beperkingen.'

'Ja. In elk geval is dit een goed uitziende kerel van drieëndertig jaar. Dat zal dan voor jou in elk geval geen beperking zijn. Gebruik je charmes maar. Ik heb gehoord dat je daar goed in bent.' Piet grijnsde breed.

Julia negeerde het. 'Heeft hij het gedaan?' Ze keek de man tegenover haar onbewogen aan.

Piet schudde langzaam zijn hoofd. 'Niet waarschijnlijk. Hij is er het type niet voor.'

'Dat zegt niets.'

'Weet ik. Hij heeft trouwens een dochtertje. Een meisje van zeven jaar.'

'Weet zij iets?'

'Nee. Ze is achterlijk of zoiets.'

'Woont ze bij de vader?'

Piet knikte. 'De moeder is een jaar geleden vertrokken. Ze schijnt in een of andere sekte te zitten en laat niets meer van zich horen.'

'Met de noorderzon vertrokken. Leuk. Zo ken ik er meer,' zei Julia met een opvallende bitterheid in haar stem. Ze trok even met haar mond, nauwelijks zichtbaar. Ian zag het. Hij zei niets. Zoals gewoonlijk.

'Doe je het?' vroeg Piet.

'Waarom niet.'

'Het zal niet meevallen om het interview af te nemen en nog veel minder om foto's te maken. Toch wil ik ze.'

'Natuurlijk wil je ze. De lezers kicken op dit soort verhalen.'
'Zo is het maar net.' Hij stond op en maakte daarmee duidelijk dat hij het gesprek wilde beëindigen.
'Vanavond?' vroeg Piet toen hij hen uitliet.
'Als het lukt.'

2

'Gaan we er meteen heen?' vroeg Ian toen ze weer in zijn rode Wrangler stapten.

Julia keek naar de fax. 'Ja. Hij woont in Helmond. Dierdonk.'

'Die nieuwe buurt met die witte huizen?'

'Ja.'

'Is hij thuis, denk je?'

'Mogelijk. Volgens deze informatie werkt hij sinds kort thuis. Hij is architect.'

'Dan verdient hij meer dan ik,' merkte Ian op.

'De meeste mensen verdienen meer dan jij. Ze werken regelmatig.'

'Daar kun jij over meepraten.'

'Ik verdien genoeg. Ik krijg het alleen niet altijd.' Ze grijnsde.

'Juist ja. Hoe ga je het dadelijk aanpakken?'

Julia staarde even uit het raam en tikte met haar vingers op de klink van de deur. 'Misschien kun je beter een tijdje rondrijden in Dierdonk terwijl ik met hem praat. Ik denk niet dat die man blij is als we met twee man en een camera voor zijn deur staan.'

'We kunnen zeggen dat we voor een enquête komen.'

'Met camera?'

'*Eigen huis en tuin*, of zoiets?'

'Laten we dat maar niet doen. Ik praat wel met hem. Je moet me alleen de tijd geven.'

'Wat ga je hem wijsmaken?'

'Helemaal niets.'

'Hallo, ik ben Julia en ik ben journalist. Ik weet dat je geen interviews geeft, maar ik heb besloten om je gewoon te dwingen. Iets van dien aard?'

'Zou ook mogelijk zijn. Maar het lijkt mij beter om hem op de risico's van het zwijgen te wijzen. Als niemand iets schrijft wordt het hele verhaal alleen maar aantrekkelijk voor Van Zandten en zijn aasgieren.'

'Als hij een klein beetje verstand heeft, praat hij daar in elk geval niet mee.'

'Daar hoeft hij niet mee te praten. Van Zandten maakt er wel wat van. Ik weet zeker dat onze Chris Walters daar niet gelukkiger van wordt.'

'Zou hij dat beseffen?'

'Weet ik niet. Zo niet dan kan ik altijd nog open kaart spelen.'

'Heb je dat ooit gedaan dan?'

'Onder omstandigheden.'

'Alleen als het nuttig voor je is, en dan over het algemeen een aangepaste versie van de werkelijkheid, en alleen als het jou uitkomt.'

'Allicht.'

'Ik had niet anders verwacht. Maar eerlijk is eerlijk. Je kunt het wel goed brengen en je krijgt op die manier veel gedaan. Ik kan het weten. Dat is een van de redenen waarom ik nog maar zelden in mijn eigen auto kan rijden.' Hij startte de Jeep Wrangler en gaf gas.

Een half uur later stopte hij in een straat met luxe witte huizen, keurig onderhouden tuintjes en een straat die nog weinig geleden had van lekkende auto's en slippende banden.

'Geef me een kwartier,' zei Julia.

'Bel maar als je zover bent. Ik rij een beetje rond. Misschien zie ik wel iets interessants.'

'Je weet nog niet eens waar het allemaal precies over gaat.'

'Ik had het niet over de zaak.' Hij keek om naar een jonge blonde vrouw die met rechte rug en een stiekeme blik op Ian voorbij fietste.

'Kijk maar uit dat je geen whiplash krijgt.' Julia gaf een kleine klap tegen de autodeur, draaide zich om en liep naar de voordeur van een van de witte huizen. De deurbel had zo'n zacht beschaafd geluid, dat zelden door iemand werd gehoord. Ongeduldig leunde ze van het ene been op het andere terwijl ze wachtte. Ze voelde een vage hoofdpijn opkomen. Hoewel ze zichzelf wijs probeerde te maken dat het door de vermoeidheid kwam wist ze wel beter.

Vandaag drink ik eens niet, dacht ze, terwijl ze haar slapen met haar vingertoppen masseerde. Ze wist dat ze het zou vergeten voordat de dag om was.

'Kom op,' mompelde ze ongeduldig. Ze wilde opnieuw de bel indrukken toen de deur een klein stukje openging.

Ze zag de man in de deuropening staan. Ondanks de vermoeide indruk die hij maakte, zag hij er goed uit. Donker haar, smal, maar niet mager gezicht met donkere ogen en kuiltjes in zijn wangen, zelfs nu hij ernstig keek.

'Chris Walters?' vroeg ze.

De man knikte. Hij opende de deur niet verder.

'Kan ik u spreken?'

'Waarom?'

'Mag ik dat binnen uitleggen?'

'Je bent journalist.'

'Ja,' gaf ze toe.

'Dan weet je ook dat ik niet met journalisten praat.' Hij wilde de deur dichtdoen, maar Julia hield hem tegen. 'Denk je niet dat bepaalde journalisten zelf verhalen verzinnen als je met niemand praat?' vroeg ze.

'Ze doen maar.'

'Ze kunnen het je verdomd moeilijk maken.'

'Denk je?'

'Jij kunt wel weten dat ze de verhalen verzinnen, maar wat denken andere mensen in de buurt? Wat denken ze als een paar amateurs vertellen dat je misschien wel betrokken bent bij de verdwijning van je vriendin?'

'Ze doen maar.' Zijn stem klonk nors. Hij bekeek haar met een mengeling van ergernis en misschien een beetje nieuwsgierigheid. 'Jij doet maar,' verbeterde hij zichzelf.

'Ik ben geen amateur. Ik ben ook geen Van Zandten.'

'Wie?'

'Doet er niet toe. Luister. Ik weet dat het rot voor je is, maar het kan toch geen kwaad om erover te praten. Misschien leest iemand die een goede tip kan geven het stuk.' Ze bleef de man aankijken.

'Denk je?' Deze keer hoorde ze de aarzeling in zijn stem.

'Het is best mogelijk. Het is al meer gebeurd. Bovendien hoef je toch niets te vertellen wat je niet wilt.'

'En als ik nu helemaal niets wil vertellen?'

'Ik kan je niet dwingen, alleen maar vragen. Ik zou het fijn vinden als je me een kans gaf.' Ze wendde haar blik kort af, gaf de indruk ergens over na te denken en leek toen een moeilijke beslissing te nemen. 'Ik heb het nodig,' bekende ze. 'Eerlijk gezegd heb ik het geld nodig. Ik schrijf niets wat je niet wilt.' Chris lachte kort en spottend. 'Je zou de eerste zijn.'

'Iemand moet de eerste zijn.' Ze glimlachte naar hem en streek haar donkere haren naar achteren. Ze hield zijn blik gevangen.

Een paar tellen bleef het stil. Toen ontspande Chris zich. 'Vijf minuten.'

Julia knikte. 'Vijf minuten zijn prima.'

Hij opende de deur verder en liet haar door de witte hal binnen in een smaakvol ingerichte kamer.

Het meisje zag ze vrijwel meteen. Ze was klein en mager. Haar blonde haren waren in een slordige vlecht gebonden. Losse piekjes hingen voor haar gezicht. Er was iets krampachtigs in haar houding zoals ze daar in die hoek een mozaïek van twee kleuren kraaltjes maakte. Paars, wit, paars, wit, paars, wit.....

Ze keek niet op.

'Mijn dochter Meggie,' zei Chris. Zijn gezicht veranderde toen hij naar het kind keek. Het was alsof het zich opende. Heel even maar. De gezichtstrekken verstarden weer toen hij zich tot Julia wendde. 'Wat wil je weten?'

'Heb je enig idee wat er op de avond dat je vriendin verdween is gebeurd?'

'Nee.'

'Nee?'

'Ga zitten.' Hij wees naar een stoel bij de glazen tafel. Het was geen keukenstoel, maar ook geen echte fauteuil. Een modern vormgegeven ding, bedekt met crèmekleurig linnen. Hij zat comfortabeler dan ze had verwacht.

Chris begon te praten zonder haar aan te kijken. Hij stond met zijn rug naar haar toe en keek door het raam naar buiten. 'Ik heb haar die avond niet gezien. Ze zou om tien uur naar mij toekomen, maar ze is nooit komen opdagen. Ik heb geprobeerd haar te bellen, maar ze nam niet op. Natuurlijk niet.' Hij draaide zich om naar Julia en keek haar aan. 'Ze is dood.'

'Hoe weet je dat?' vroeg Julia.

'Het kan moeilijk anders. Haar auto werd leeg aangetroffen. Niemand heeft nog iets van haar gehoord. Zelfs haar beste vriendin niet.'

Het kind in de hoek gilde. Een korte, doordringende kreet. Geschrokken keek Julia naar haar. Het meisje veegde met haar hand de kraaltjes aan de kant. Ze rolden alle kanten uit. Felle bolletjes die over de tegelvloer ratelden. Daarna pakte ze een pop en drukte die tegen zich aan. Ze keek naar buiten, naar de kleurige hei in de tuin.

'Het is niets,' zei Chris. Hij keek Julia nu aan. 'Ze doet dat vaker.'

'Wat is er met haar aan de hand?'

'Autistisch.'

'Dat moet zwaar voor je zijn.'

Chris haalde zijn schouders op. 'Het maakt niet uit.'

Julia keek hem even aan maar ging er niet verder op in. 'Kun je iets over je vriendin vertellen. Renée Silver heet ze, niet-waar?'

'Ze was schoonheidsspecialiste. Ze zag er altijd goed uit. Blonde haren op kinlengte. Goed gekleed. Modern. Strakke rokjes, bloesjes... hoge hakken. Altijd hoge hakken. Daarom wandelde ze niet graag.'

'Ze wandelde niet graag?'

'Nee.' Hij bekeek haar opnieuw. Niet stiekem, maar nieuwsgierig. 'Jij bent anders. Heel anders. Je bent knap op een andere manier.'

'Dank je.' Julia was even van haar stuk gebracht.

'Ik bedoel er niets mee. Het viel mij gewoon op. Weet je, ik denk dag en nacht aan haar. Vraag mij voortdurend af waar ze kan zijn. Ik wil niets van jou. Ik wil haar terug.'

'Wat bedoel je met dat wandelen?'

'Ze wandelde niet graag. Dat is zo raar. Haar auto werd bij het Grotelse Bos aangetroffen. Daar ga ik bijna elke morgen wandelen met Meggie. Vooral bij het water. Ik heb Renée een paar keer meegenomen, maar ze vond het niet leuk. Ze kon zich niet echt gemakkelijk kleden zoals jij. Oude jeans, gymschoenen.' Hij keek naar haar kleding en lachte kort, een beetje bitter. 'Wat afgedragen, dat wel, maar toch... Wandel jij graag?'

'Ja.'

'Zij niet. Het is toch raar dat haar auto uitgerekend daar werd aangetroffen. Daar bij dat bos.'

'Misschien had ze een afspraak met iemand.'

'De politie denkt dat ze op de parkeerplaats is overgestapt in een andere auto. Dat ligt in elk geval meer voor de hand dan dat ze werkelijk daar is gaan wandelen. Ik geloof trouwens ook dat ze haar dan wel gevonden zouden hebben.'

'Enig idee met wie ze meegegaan is?' vroeg Julia.

Chris schudde zijn hoofd. 'Geen idee.'

'Denk je dat ze vrijwillig is meegegaan?'

'Er waren geen sporen van een worsteling. Heel veel zegt dat natuurlijk niet. Tegen de tijd dat die auto op die parkeerplaats werd aangetroffen waren er al meer auto's geweest en kunnen eventuele sporen van een worsteling zijn gewist, dus nee, ik weet het niet.'

'Ze kan dus gewoon met iemand zijn vertrokken.'

'Als dat zo is, heeft diegene haar vermoord.'

'Je bent nogal zeker van je zaak.'

'De recherche heeft haar appartement doorzocht. Dat heb je ongetwijfeld al gehoord. Ik moest mee om te kijken... Ze willen altijd iemand erbij hebben die het slachtoffer, of de vermiste zoals ze het nu uitdrukken, goed kent. Iemand die weet wat ze normaal gesproken meeneemt, hoe ze haar appartement achterlaat en iemand die weet welke kleding ze heeft. Ze wilden weten wat ze droeg op de avond van haar verdwijning. Een grijze rok. Strak natuurlijk. En die witte blouse met dubbele manchetten. Die had ze graag aan. Grijze schoenen met van die dubbele riempjes op de wreef en hoge hakken. Grijze schoenen pasten er het beste bij, vond ze.' Hij stokte.

'Ze was dus sjiek gekleed? Alsof ze uitging.'

'Zoals altijd... Ze wilden het weten omdat ze haar dan gemakkelijker kunnen identificeren. Als ze haar vinden.'

'Welke aanwijzingen waren er in het appartement?'

'Geen. Misschien wel alle. Het is maar net hoe je het bekijkt. Alles lag er nog. Haar kleding, haar toiletspullen, haar make-up, zelfs de pil. Ze zou nooit zonder make-up weggaan als ze langer dan een uur verwachtte weg te blijven. Ze maakten foto's. Ik geloof dat ze ook van alles hebben onderzocht. Borstels, kammen, glazen... weet ik het. Mensen van de technische recherche. Alles wees erop dat ze diezelfde avond nog thuis had willen komen. Daarom maakten ze die foto's. Haar vriendin schijnt er ook geweest te zijn. Het was haar beste vriendin, maar ik kende haar niet. Jolien heette ze. Renée had het vaker over haar. Idioot eigenlijk. Je hebt maandenlang een relatie en kent niet eens haar beste vriendin.' Hij wreef vermoeid over zijn gezicht. 'Renée zou met Jolien naar een makelaar gaan in verband met het opzetten van een eigen zaak. Het was Renées droom, weet je. Soms praatte ze nergens anders over. Ze hadden een afspraak bij die makelaar daarover, de ochtend nadat ze is verdwenen. Jolien wist het toen nog niet en wachtte ruim een uur bij die man. Van Renée hoorde ze niets meer. De papieren met de plannen lagen nog steeds op de tafel in de keuken van Renées appartement toen de recherche daar was.' Hij schudde zijn hoofd. 'Het was niet haar bedoeling om weg te blijven. Ze is er niet vandoor. Ik denk dat de recherche daar nu ook van overtuigd is.'

'Eerst niet?'

'Nee. Eerst denken ze altijd aan de mogelijkheid dat iemand zomaar vertrekt. Dat was ook nu het eerste waar ze aan dachten. Er waren andere mannen…' Hij haperde.

'Stoute pop.' De heldere stem van Meggie mengde zich door het gesprek. Julia's aandacht werd erdoor getrokken. Ze keek naar het fragiele blonde meisje op de grond dat met heftige beweging de pop in een doos duwde.

'Ik sluit je op. Je bent stout.'

'Meggie…' probeerde Chris.

'Ik maak je dood, hoor,' zei het meisje.

'Meggie, niet doen.' Chris stond op en liep naar het meisje toe. Het kind draaide zich half om en keek langs haar vader door naar Julia. De grote grijsblauwe ogen die Julia aanstaarden waren volkomen leeg. 'Ze is opgesloten?'

'Wat bedoel je?' vroeg Julia. Het kind draaide zich echter weer van Julia af en pakte haar pop uit de doos.

Chris probeerde met haar te praten, maar ze keek hem niet aan. Hij streelde over haar haren.

'Wat zou ze bedoelen?' vroeg Julia.

Chris draaide zich naar Julia om en keek haar een paar tellen aan. 'Het heeft met haar moeder te maken.'

'Haar moeder?'

'Haar moeder. Mijn ex. Laten we zeggen dat ze Meggie niet erg prettig heeft behandeld toen ze nog hier woonde.'

'Wat is er dan gebeurd?'

Chris stond op en ging weer tegenover Julia zitten. 'Dat doet er nu niet toe. We hadden het over Renée.'

'Waar is je ex-vrouw?'

'Bij een sekte.'

'Welke sekte?'

'Ik wil er niet over praten.' Het klonk kortaf.

'Goed,' gaf Julia met tegenzin toe. Ze concentreerde zich weer op de verdwijning van de vriendin.

'Er waren andere mannen… zei je net. Wat bedoelde je daarmee?'

'Laat maar.'

'Waarom?'

'Omdat het er niet toe doet.' Hij stond op en liep rusteloos door de kamer.

'Het kan belangrijk zijn.'

'Jezus, ben je soms ook van de recherche? Het doet er werkelijk niet toe. Ze had ooit contact met andere mannen. Dat was alles. Het had niets te betekenen.'

'Weet je met wie?'

Chris staarde haar een paar tellen aan. 'Nee. Ja. Met Martin. In elk geval met Martin. Misschien met meer.'

'Wie is Martin?'

'Martin leidt een sekte. Zo noemt hij het.'

'De sekte waar jouw ex naartoe ging?.'

Chris knikte.

Hoe kwam ze met hem in contact?'

Chris streek door zijn haren. Hij draaide zich naar Julia om. 'Hoe moet ik dat weten?'

'Zei ze er niets over?'

'Nee. Ik hoorde het toevallig en waarschuwde haar voor hem.

Martin deugt niet, weet je. Hij… nou ja… hij deugt gewoon absoluut niet.'

'Hoe reageerde Renée?'

Chris liep naar de voorkant van de woonkamer en keek door het raam naar de straat. 'Hoe reageerde ze? Ze zei dat het onzin was of zoiets. Precies weet ik het niet meer. We hebben er niet meer over gepraat.'

'Was je niet bang dat ze, net als je ex, naar die sekte zou gaan?'

'Natuurlijk was ik daar bang voor. Ik weet zeker dat het Martin daarom te doen was.'

'Waarom?'

'Martin en ik hadden ruzie. Het had met Evelin te maken. Mijn ex.'

'Omdat ze bij die sekte ging?'

'Niet alleen daarom. Niet bepaald.'

'Wat dan?'

'Dat doet er niet toe. Net zo min als de hele rest van de geschiedenis. Evelin doet er niet toe.'

'Misschien niet, misschien ook wel. Denk je dat Martin iets van die verdwijning van Renée afweet?'

'Hij zegt van niet.'

'Geloof je hem?'

'Nee.'

'Denk je dat hij haar iets heeft aangedaan?'

'Misschien. Het kan ook iemand anders zijn geweest. Iemand die niet kon hebben dat ze hier kwam.'

'Wie?'

'Weet ik niet.' Hij bleef bij het raam staan en keek naar buiten. Hij stond stil en toch bewoog hij. Korte nerveuze bewegingen.

Julia wist dat hij loog. Ze ging er niet op in. Ze stelde andere vragen, maar ergens in haar achterhoofd bleef de gedachte aan Martin en de ex-vrouw van Chris hangen. Het was niet iets dat ze kon negeren. Hooguit heel even…

Tegen de tijd dat Ian voor de woning stopte, was Chris weer gaan zitten. Hij had na lang aandringen toegestaan dat er een foto van hem werd gemaakt. Waarschijnlijk alleen om van haar gezeur af te zijn. En misschien ook omdat Julia degene was die erom vroeg.

Eén maar. Niet poseren. Julia had Ian meteen gebeld.

Toen ze nauwelijks tien minuten later vertrokken keek Julia nog een keer naar het meisje. Haar vingers trokken strepen over het plastic gezicht van haar pop. Opnieuw en opnieuw. Ze keek naar buiten en neuriede een liedje. Julia kende het niet.

3

Renée zat in de hoek van haar kleine gevangenis en rilde. Ze was doodmoe. Haar hele lichaam deed pijn. Haar armen voelde ze nauwelijks meer, behalve als er kramp kwam. In het begin had ze er geen last van gehad, maar de laatste uren kwam het steeds vaker terug. Elke keer gebeurde het weer onverwachts. Dan schoot opeens die vlammende pijn vanuit haar schouder door haar arm. Op zo'n moment was het alsof haar lichaam ophield te bestaan. Dan waren er alleen die samengetrokken spieren die het uit leken te krijsen in hun onmogelijke houding. Er was geen verweer tegen. De gruwelijke pijn liet haar naar adem snakken. Als ze het uit had kunnen schreeuwen, had ze het gedaan, maar dat kon ze niet. Ze kon niets anders doen dan wachten. Wachten tot het overging. Wanhopig probeerde ze tussendoor haar armen te bewegen. Als haar bloedsomloop op gang werd gebracht, bleef de kramp misschien uit. Alleen lukte het niet. Het touw om haar polsen zat te strak en leek bij iedere beweging in haar vel te snijden. Zelfs haar houding kon ze niet veranderen. Ze had het wel geprobeerd. Ze had geprobeerd om op haar knieën te gaan zitten en van daaruit te gaan staan. Veel verder dan een hopeloos geschommel was ze niet gekomen. Haar benen wilden niet. Ze waren loom en zwaar. Er zat geen kracht in. Uiteindelijk was ze weer met een smak op de grond beland. De vochtige kou trok in haar botten. Alleen haar mond voelde heet aan. Haar lippen schroeiden alsof ze waren verbrand. Haar vel was blijven zitten toen de tape eraf was gehaald om te eten. Maar wat zou er de volgende keer gebeuren? Ze huilde zacht. Haar angst had alles erger gemaakt. Ze had haar medewerking moeten beloven. Alles moeten beloven. Dat had ze moeten doen. In plaats daarvan was ze weer in paniek geraakt en had ze gevochten. Ze had geen schijn van kans gehad. Natuurlijk niet. Nu was ze weer vastgebonden. Ze leefde nog, maar ze wist niet hoe lang dat nog zou duren. Ze wist niet eens meer waar ze banger voor was: de vernedering en de angst, de opdringerige kou of de dood. Misschien was de dood wel een opluchting. Maar ze wilde niet dood. Nog niet. Ze moest het opnieuw proberen. Ze moest haar paniek naar de achtergrond duwen en praten. Toegeven aan datgene wat er van haar werd verwacht, liefst alsof het haar eigen idee was. Alsof ze niets anders zou willen. De illusie wekken dat ze het begreep. Praten. Dat moest ze doen. Ze had het vaker gedaan. Niet onder deze omstandigheden, maar ze wist dat ze het kon. Als ze alleen maar haar angst kon vergeten, al was het maar voor even.

Ze staarde naar de deur. Elk moment kon hij weer opengaan. Ze wilde dat dat gebeurde en tegelijk was ze er doodsbang voor. Doodsbang voor wat er dan weer kwam. Ze wist niet of ze het kon opbrengen.

De volgende ochtend parkeerde Julia de Wrangler op de kleine parkeerplaats waar de auto van Renée een week geleden werd aangetroffen. Ze reed hem bijna met de neus tot tegen het opgehoopte zand, achter de geulen waar plaats werd gemaakt voor de betonnen buizen die er bovenop lagen. Ze huiverde toen ze uitstapte. Terwijl haar adem kleine witte wolkjes vormde, trok ze haar jack aan. Een paar tellen bleef ze bij de auto staan. Misschien was het nog te vroeg. Ze wreef in haar handen en trok de jas goed dicht. Dan zou ze dus moeten wachten.

Misschien komen ze niet.

'Ze komen wel,' mompelde Julia in zichzelf. Het was goed weer. Koud, maar met een open blauwe lucht. Natuurlijk zouden ze komen. Dit kon heel goed een van de mooiste najaarsdagen worden.

Ze deed Ians Jeep op slot en liep in de richting van het ven.

De bladeren maakten een dof knisperend geluid onder haar voeten. De boomkronen leken in goudkleuren geschilderd. Af en toe gaf een blad zich gewonnen en dwarrelde licht tussen de stammen door omlaag. Nog heel even en dan zouden ze massaal de bodem bedekken. Iedere windvlaag zou een regen van goudbruine en rode bladeren veroorzaken. Maar nu nog niet. De herfst begon immers net.

Julia was hier nooit eerder geweest, maar ze wist hoe ze bij het ven kon komen. Het lag recht voor haar. Op een kaart had ze de ligging ervan bekeken. Ze wist ook wat eromheen lag. Ze wist waar het vakantiepark 'de Kanthoeve' lag, en hoe de wegen daaromheen liepen. Eigenlijk had ze een heel kleine plas verwacht, maar het ven waar ze plotseling op uitkeek was uitgestrekt als een meer. Een sluier van mist zweefde boven het glinsterende water en bedekte een klein stuk van de oevers. Het was mooi, maar ook een beetje mysterieus. Het was het soort mist dat je in griezelverhalen zag. In clichéfilms over weerwolven en vampiers. Wat haar ook opviel was de stilte. Ze hield niet meer van die absolute stilte. Niet meer sinds ze de drukkende stilte in de Peel had meegemaakt. Sinds ze de dreiging kende.

'Stel je niet aan,' zei ze in zichzelf. Ze haalde diep adem en liep op haar gemak over het pad langs de waterkant.

Af en toe merkte ze dat ze te hard liep. Dan dwong ze zichzelf om weer rustig te lopen. Ze had geen haast. Integendeel. Ze hoopte elk moment Chris te treffen. Chris en zijn dochtertje. Zou hij werkelijk geloven dat ze hier per toeval was? Ze geloofde het niet.

Ze bleef een paar tellen staan en keek naar het water. De mist bewoog zich traag als een spook voort over het rimpelloze oppervlak. Af en toe drong er een kleine zonnestraal doorheen die dan een schitterende krans op het water veroorzaakte.

Ze stond er nog niet lang toen ze voetstappen hoorde. Rechts van haar. Ze draaide zich te snel om. Ze was geschrokken, al zou ze dat nooit toegeven. Ze zag niemand. Ze merkte dat haar ademhaling onrustig werd. Haar hart klopte sneller. Ze balde haar vuisten. Ze was bang. Een moment lang was ze heel bang. Niet voor wat haar zou kunnen benaderen, maar voor haar eigen angst. Ze dacht dat ze zich allang over die aanvallen had heengezet. Misschien vergistte ze zich. Ze wendde zich weer naar het meer. Ze probeerde zich op de mist te concentreren. Op de rust van het water en de glinsterende weerkaatsing van het licht.

'Ik wil het niet,' fluisterde ze. In een flits zag ze vanuit haar ooghoeken iemand staan. Links van haar, deze keer. Ze draaide zich opnieuw te snel om, maar deze keer had ze zich niet vergist. Onmiddellijk herkende ze de man die ze een dag eerder had gesproken. Zijn dochter stond naast hem. Ze droeg een wijde jas tot halverwege haar bovenbenen en een dikke maillot. Het meisje keek niet naar Julia, maar staarde naar de grond voor haar voeten.

Julia herstelde zich en glimlachte naar Chris. Op die manier liep ze naar hem toe; glimlachend en verrast, alsof ze hem absoluut niet op deze plek had verwacht.

Heel even keek ze nog om. De voetstappen had ze rechts van zich gehoord, niet links, waar Chris nu stond. Misschien was het ook wel iets anders geweest.

'Chris Walters. Heb je nog iets gehoord over Renée?' vroeg ze toen ze bij hem stond.

Chris keek haar aan en schudde zijn hoofd.

'Dat spijt me. Ik werd vanmorgen wakker en dacht aan het gesprek dat we gisteren hadden. Het bleef me bezighouden en daarom kwam ik hierheen. Hier is ze tenslotte het laatst geweest.'

'Niet hier. Daar vóór op de parkeerplaats. Haar auto stond daar,' verbeterde hij haar stug.

'Ja. Ze is met iemand meegegaan.'

'Waarschijnlijk.'

'Je weet niet met wie?'

'Nee. Dat heb ik gisteren tegen je gezegd, en al zo'n dertig keer tegen de politie. Ik weet het niet.'

'Denken ze dat jij er iets mee te maken hebt.?'Julia beantwoordde de strakke blik van de man.

'Misschien.'

Ze voelde de tegenzin in zijn antwoorden. Toch ging ze verder. 'Is dat zo?' Het ging niet om zijn antwoord. Het ging om hem. Om zijn reactie. Ze moest het weten.

'Maakt het uit wat ik zeg?'

'Ja, het maakt wat uit.'

'Waarom?'

'Ik wil het graag weten.'

'Nee. Het antwoord is nee. Ik verwacht dat het weinig uitmaakt.'

'Hoe bedoel je?'

'Je denkt toch wat je wilt. Je schrijft wat je wilt.'

'Ik heb gezegd dat ik dat niet zou doen.'

'Er wordt nogal veel gezegd.'

'Ik meen altijd wat ik zeg.'

'Ja?' Het klonk licht spottend. 'Ik zou toch ook zeggen dat ik er niets mee te maken had als dat wel zo was.'

'Waarschijnlijk wel. Maar ik wilde het toch vragen.'

'Misschien heb ik haar wel vermoord.'

'Misschien.'

'Moet je niet alles noteren wat ik zeg, of heb je zo'n bandje bij je?'

'Dit is geen interview. Gisteren was een interview. Het resultaat daarvan ligt misschien al bij jou in de bus.'

'Is het de moeite waard?'

Julia haalde haar schouders op. 'Voor veel mensen wel. Voor de opdrachtgever in ieder geval.'

'Ongetwijfeld.' Het klonk een beetje wrang.

'Er staat eigenlijk niet zoveel in…'

'Dat zal wel.'

'Niet alles wat je mij hebt verteld. Alleen wat feiten. Het beroep van Renée en dat ze een goed uitziende vrouw is. Natuurlijk ook dat ze niet graag wandelt en dat jij er daarom van uitgaat dat ze met iemand is meegegaan. Ik heb iets over jou verteld; dat je een alleenstaande vader bent en dat je voor je dochtertje zorgt. Dat de moeder haar in de steek heeft gelaten om bij een sekte te gaan en dat je daarna Renée hebt leren kennen. Verder wat gezwets over het onderzoek en de bevindingen van de politie, die dus niets voorstellen maar wel mooi omschreven zijn. Verder nog algemene informatie over vermissingen om een redelijk artikel af te leveren.'

'Waren ze tevreden?'

'Ja…'

'Maar?'

'Ze hopen op een vervolg.'

'Doe je dat?'

'Misschien. Maar daarvoor ben ik niet hier.'

'Nee?'

'Nee.'

'Je staat weer voor mijn neus en stelt vragen.'

'Sorry.'

'Daar meen je niets van.'

'Nee. Maar ik was niet van plan om iets met dit gesprek te doen. Je hebt nogal veel indruk op me gemaakt en ik wil graag meer weten.'

'Over de verdwijning van Renée of over mij?'

'Allebei.' Over alles, dacht ze bij zichzelf.

'Zonder een verslag te maken?' Hij klonk niet alsof hij haar geloofde.

Julia schudde haar hoofd.

'Ook niet als het een mooi verhaal oplevert?'

Julia gaf niet meteen antwoord.

'Natuurlijk wel. Het is je werk.'
'Ja, dat klopt. Maar het is meer dan dat. Ik wil het echt weten.'
'Ik ook.'
'Denk je echt dat ze dood is?'
'Ja.'
'En als het niet zo is? Als ze wordt vastgehouden?'
Ze is opgesloten
'Vastgehouden? Waarom?'
'Weet ik niet. Omdat ze iets weet of omdat iemand iets van haar wil. Mensen worden wel vaker vastgehouden.' Ze dacht aan de sekte, maar zei het niet.
'Denk je dat?'
'Ik weet het niet.'
'Nee.'
'Vind je het goed als ik een stukje meeloop?'
Chris haalde zijn schouders op. Hij leek te aarzelen. 'Ik neem aan dat je toch blijft doorgaan tot je alle antwoorden hebt.'
'Ja.' Ze keek naar het meisje dat naast Chris stond. Meggie staarde nog steeds naar de grond.
'Ze wil hier altijd naartoe. Ze wil altijd bij het water zijn.' zei Chris.
'Waarom?'
'Om te spelen.' Hij begon te lopen en het meisje kwam als vanzelf in beweging. Haar hand klemde zich strak in de zijne. Ze leek zich niet bewust van de aanwezigheid van Julia en toch zocht ze bescherming bij haar vader.
Terwijl Julia als vanzelfsprekend met de man meeliep dacht ze nog een keer aan het geluid dat ze tussen de struiken had gehoord. Ze geloofde niet meer dat het werkelijk iemand was geweest. Een dier misschien. Vogels of konijnen.
Tien minuten luisterde ze alleen naar hun voetstappen in het zand. De mist loste langzaam op in het niets terwijl de aarzelende warmte van de najaarszon zich verspreidde.
Chris bleef op een open stukje staan, waar de oeverkant iets

over het dertig centimeter lagere water helde. 'Ik ga zitten zodat Meggie kan spelen. Wil je ook…' Weer die aarzeling. Hij wilde geen gesprek, maar hij stuurde haar niet weg. Zelfs niet onbewust. Alsof hij ergens toch haar gezelschap wilde.

'Het gras is nat,' merkte Julia op. Ze keek naar de glinsterende waterdruppels die het stugge gras bedekten.

'Niet lang meer.' Hij keek naar boven. Naar de helder blauwe lucht en de laagstaande, vale zon. 'Ik heb trouwens plastic bij me. Ik ga altijd even zitten als Meggie speelt.'

Hij liet het meisje los en keek hoe ze, zonder een van hen een blik waardig te gunnen, langzaam naar de waterkant liep.

'Wat speelt ze?'vroeg Julia.

'Ik weet het niet. Ik denk dat niemand dat weet. Ze leeft in haar eigen wereld.' Hij haalde een dun stuk plastic uit zijn zak en spreidde het uit over het gras. 'Ga zitten.'

'Ik dacht dat je een hekel aan journalisten had.'

'Heb ik ook.' Hij keek haar aan en glimlachte voorzichtig. De kuiltjes in zijn wangen werden dieper.

Julia besefte opnieuw hoe aantrekkelijk hij was. Ze wendde haar blik van hem af en keek naar Meggie. Het kind stond met haar rug naar hen toe en keek naar het water. Een flauwe wind streek zacht door haar haren, waardoor het iets bewoog. Ze had een pop kunnen zijn, zoals ze daar stond.

'Ik was hier niet toevallig,' zei ze zonder hem aan te kijken.

'Dat weet ik.'

'Je werd niet kwaad.'

'Nee. Ik had het kunnen weten. Al toen ik je gisteren vertelde dat ik hier 's morgens wandelde had ik het kunnen weten' Hij staarde naar het water.

'Maakt het wat uit?'

'Waarschijnlijk niet. Als ik je hier niet had getroffen, was je wel naar mijn huis gekomen. Mensen als jij geven niet op.'

'Nee.'

'Het is een goede eigenschap.'

'Weet ik niet. Soms wel, soms niet, denk ik.'
'Ik denk van wel. Opgeven is iets voor… slappelingen.'
'Denk je?'
'Ja.'
'Was Renée iemand die snel opgaf?' Julia keek weer naar Chris.
'Weet ik niet. Ik denk het niet. Waarom vraag je dat?'
'Ik vroeg het mij af. Als ze werkelijk ergens wordt vastge-
houden…'
Chris liet haar niet uitspreken. 'Ik geloof het niet. Ik wil het
geloven. Ik wil geloven dat ze wordt vastgehouden en terug-
komt.' Hij schudde langzaam zijn hoofd. 'Het lukt niet.'
'Kun je meer over haar vertellen. Hoe ze was, wat ze deed?'
En over die mannen, dacht ze erachteraan.
'Ik heb je al verteld dat ze er goed uitzag. Dat wist ze. Dat
gebruikte ze ook.'
'Op welke manier?'
'Om dingen gedaan te krijgen.'
'Zoals?'
'Moeilijk uit te leggen. Haar zin doordrijven, denk ik. Ze wist
wat ze wilde.'
'Wat wilde ze?'
'Een eigen zaak, geld, aanzien. Dat wat veel vrouwen willen.'
Hij bekeek Julia zoals hij haar de eerste keer ook had beke-
ken. Niet brutaal of opgewonden, alleen geïnteresseerd.
Nieuwsgierig misschien. 'De meeste vrouwen, denk ik.'
'Niet allemaal.'
'Nee. Vrouwen als jij niet. Jij bent anders. Je dopt je eigen
boontjes. Het draait bij jou niet om geld, maar om iets anders.'
'Ja?'
'Ja. Ik denk dat je iets probeert te bewijzen. Jezelf misschien.'
'Misschien.' Julia's mond voelde droog aan. Was het zo?
'Ik denk dat het zo is. Ik denk ook dat je risico's neemt. Ja,
als het nodig is zou je dat kunnen doen.' Hij glimlachte vaag.
Julia gaf geen antwoord. Ze keek weer naar Meggie. Het meis-

je zat nu op haar hurken bij het water en tekende figuurtjes in het zand.

'Misschien klopt helemaal niets van het beeld dat ik van je heb, maar je lijkt zelfverzekerd en gedreven, maar toch is er iets in je... begrijp me niet verkeerd... dit is geen goedkope versiertruc. Ik probeer je alleen in te schatten. Iets dat ik niet kan laten als ik iemand ontmoet die mij intrigeert. Renée was heel anders. Te zelfverzekerd misschien. Ik mis haar. Ik geloof niet dat ze nog leeft. Misschien dat ik daarom met je praat. Omdat ik met iemand moet praten om niet gek te worden.'

'Het moet moeilijk voor je zijn om Meggie alleen op te voeden.'

'Dat is het ook.'

'Wat bezielde haar moeder om haar eigen kind in de steek te laten en bij een sekte te gaan. Waarom?'

'Doet dat ertoe?'

'Voor mij wel.'

'Waarom?'

'Ik wil weten waarom een moeder haar kind achterlaat.'

'Omdat ze niet om haar kind geeft?'

'Zou het altijd zo zijn?' Julia draaide zich half om naar Chris. Ze aarzelde.

'Waarom wil je dat weten?'

'Mijn moeder liet mij ook achter.'

Waarom zei ze dat? Het was geen truc. Al wilde ze het zelf nog zo graag geloven. Hij kon haar geen antwoord geven. Er was maar een persoon die dat kon.

Hij keek haar even aan. 'Ik weet niet of het altijd zo is. Ik weet ook niet of dat zo erg is,' zei hij langzaam. Hij staarde voor zich uit.

'Wat bedoel je?'

'Ik weet niet of het erg is om je kind achter te laten als je er niets om geeft. Misschien is het wel beter dan blijven. Dan wordt het alleen maar erger.'

'Wat bedoel je daarmee?'

'Meggie's moeder, Evelin, hield niet van Meggie. Ik denk niet dat dat het ergste was. In het begin hield ze alleen niet van haar, maar ze verzorgde haar wel. Later werd het pas erger. Ze kon er niet tegen dat Meggie autistisch was. Ze kon absoluut niet verdragen dat haar eigen dochter niet normaal was. Er waren dagen...' Hij haperde.

'Wat gebeurde er tussen Evelin en Meggie?' drong Julia aan. Ze voelde de kou van de bodem door het plastic trekken, terwijl zonnestralen haar schouders verwarmden.

'Evelin kon soms onredelijk kwaad worden op Meggie. Dan vroeg ze iets aan Meggie en schudde haar vervolgens door elkaar als ze geen antwoord kreeg. Maar Meggie gaf bijna nooit antwoord. Het frustreerde haar enorm. Soms sloot ze Meggie op in de kelder. Dan vond ik haar...' Hij haperde opnieuw. Even leek het alsof hij wilde huilen. 'Dan zat ze in een hoekje als een doodsbang vogeltje.'

'Wat deed je daaraan?' Ze probeerde de kou in haar lichaam te negeren terwijl ze naar het meisje keek.

Meggie was weer gaan staan en staarde over het water. Ze had haar eigen armen om zich heen geslagen alsof ze zichzelf wilde verwarmen. Alsof ze diezelfde kilte voelde.

'Ik vond dat ze hulp moest zoeken. En dat deed ze.'

'Bij een sekte?'

Chris knikte. 'Eerst ging ze naar een psycholoog, maar daar vond ze niet de hulp die ze nodig dacht te hebben. Uiteindelijk kwam ze in contact met Martin. Hij kon haar zo geweldig helpen, zei ze steeds, maar ze ging zich steeds vreemder gedragen. Ze was heel veel weg en als ze thuis was keerde ze zich volledig tegen Meggie. Ze raaskalde. Zei dat Meggie bezeten was en meer van die flauwekul. Soms had ze van die rare figuren bij zich die Meggie dan zogezegd moesten helpen. De duivel uitdrijven of zoiets. Ik werkte in die tijd nog buitenshuis, maar kwam er een keer toevallig achter toen ik vroeger dan gebruikelijk naar huis kwam.' Hij zweeg en keek naar Meggie. Zijn lippen waren strak op elkaar geklemd en zijn handen tot vuisten gebald.

'Wat deden ze?'

'Rituelen.'

'Rituelen?'

'Waar ben jij opgegroeid?' vroeg hij. Hij keek haar niet aan.

'Hoe bedoel je dat?'

'Wie heeft jou opgevoed?'

'Pleegouders.'

'Fijne pleegouders?'

'Eerst wel. Er waren veel regels, te veel regels misschien, maar er was mee te leven.'

'Wat gebeurde er?'

'Mijn pleegvader stierf, mijn pleegmoeder raakte overspannen en leerde uiteindelijk een jonge hufter kennen.'

'Gebruikte hij je?'

'Misschien.'

'Misschien?'

'Ik dacht dat ik verliefd op hem was. In het begin in elk geval. Ik was pas twaalf. Ik wist niet wat het inhield.' De droogte in haar mond breidde zich uit naar haar keel. Ze voelde een schurende pijn en werd misselijk. Haar borstkas verkrampte en haar ademhaling was oppervlakkig en gejaagd. Hou op, schreeuwde iets diep binnenin.

'Hij gebruikte je dus,' zei Chris eenvoudig.

'Gebeurde dat ook met Meggie? Gebruikten ze haar?' Haar stem klonk hees. Ze moest zich op Meggie concentreren. Ze telde haar ademhaling. Inademen, een, twee, drie... uitademen, een, twee, drie. Ze had het al zo vaak gedaan.

Chris knikte. 'Ze noemden het duivelsuitdrijving, maar dat was niets anders dan een waardeloos excuus. Ze gebruikten haar. Ze deden haar pijn...' Hij stokte en sloeg zijn handen voor zijn ogen. 'Mijn god...'

'Wat heb je gedaan?' Terwijl ze het vroeg legde ze haar handen op haar buik.

Alleen Meggie telt. Nergens anders aan denken.

'Hen het huis uitgeschopt. Evelin ook.'

'Was Martin er ook bij?'

'Nee. Niet zover ik weet. Ik ken hem niet van gezicht, maar ik geloof niet dat hij erbij was.'

'Je had toch ruzie met hem?'

'Later pas en dat was via de telefoon. Een hufter als hij laat zijn gezicht niet zien. Hij belde en schreef. Dreigbrieven. Ik denk dat hij bang was dat ik hem aan zou geven.'

'Heb je hen aangegeven?'

Chris knikte. 'Niemand geloofde mij.'

'Meggie?'

'Meggie praat met niemand.'

'Heb je Evelin nog wel eens gezien?'

'Ze komt nog wel eens in onze wijk. Ze wil niet dat ik haar zie, maar soms gebeurt het toch.'

'Is ze nog wel eens bij Meggie geweest?'

Chris schudde zijn hoofd. 'Daar zorg ik wel voor. Ik laat haar geen moment alleen. Soms denk ik wel eens...' Hij wrong zijn handen ineen en staarde ernaar. 'Soms denk ik dat ze misschien heel anders was geweest als dat alles niet was gebeurd.'

'Dat ze zich daardoor zo gedraagt? Dat ze niet echt autistisch is?'

'Niet in deze mate. Ik weet het niet. Misschien is het ook wel onzin. Ze was als baby al vreemd, maar god weet wat Evelin nog meer met haar heeft uitgespookt.'

'Is Meggie nooit in behandeling geweest?'

'Natuurlijk. Maar dat heeft nooit veel uitgehaald. De diagnose autisme werd vastgesteld en dat was het.'

'Misschien moet je andere hulpverleners zoeken.'

'Misschien wel. Maar het zal niet veel uithalen. Ze praat niet. Alleen tegen zichzelf. Ze kan je aankijken en praten, maar dan nog praat ze alleen tegen zichzelf.'

'Was het geen probleem om de voogdij over haar te krijgen?' vroeg Julia.

'Niet echt. Ik ben niet gescheiden. Ik had geen zin in die hele flauwekul. Evelin zal bij die sekte zijn ingetrokken, misschien wel bij Martin, en heeft nooit voogdij aangevraagd. Godzijdank niet.'

'Heb je nog met haar gepraat?'

'Nee. Ik wil ook niet met haar praten.'

Meggie was in beweging gekomen. Ze voerde danspasjes uit op muziek die alleen zij leek te horen. De ruime jas fladderde om haar dunne lichaam. Zonlicht weerkaatste in haar blonde haren. Ze zette haar voeten geruisloos neer, tilde ze weer op en voerde opvallend vloeiende bewegingen uit. Ze keek niet op of om. De wereld was buiten haar.

'Heeft ze ooit dansles gehad?' vroeg Julia. Haar lichaam trilde nog een beetje, maar haar ademhaling was weer redelijk normaal. Alleen Meggie telde.

Chris schudde zijn hoofd. 'Nee, maar ze heeft een opvallend gevoel voor ritme en beweegt als een echte ballerina. Als alles anders was, zou ze ooit misschien een danseres kunnen worden.'

Meggies armen leken vleugels te worden. Ze tekenden grote cirkels in de lucht en bewogen met de wind mee.

'Kun je helemaal niet met haar praten?' vroeg Julia.

'Je kunt haar dingen vragen en als ze datgene doet wat je van haar verlangt, weet je dat ze je gehoord heeft. Je weet het niet altijd.'

'Geeft ze geen antwoord als je met haar praat?'

'Zelden. Meestal zegt ze iets anders. Of ze maakt een opmerking waar de meeste mensen niets van snappen. Zoals gisteren.'

'Kende ze Renée?'

'Natuurlijk. Renée is vaak genoeg bij ons geweest en wij zijn vaak bij Renée geweest. We sliepen vaak bij elkaar. Vooral in de weekends. Of ze Renée goed kende is de vraag. Meggie keek nooit naar haar. Ze leek vaak niet eens te merken dat Renée er was, maar dat is nu eenmaal haar aard.' Weer aarzelde Chris. Hij staarde naar het meisje, dat nu afwisselend de top van de linkervoet en de top van de rechtervoet voor zich uit strekte. 'Ik denk dat ze Renée niet echt mocht.'

'Waarom denk je dat?'

Chris haalde zijn schouders op. 'Moeilijk te zeggen. Het voelde zo. Renée kon niet goed aan Meggie wennen. Ik geloof dat ze zich vaak aan haar ergerde. Ze probeerde wel aardig voor haar te zijn, maar als vader merk je zoiets.'

'Toch hield je van haar.'

'Ja.' Hij wachtte even en keek voor zich uit. 'Ik geloof het wel.'

'Je weet het niet zeker?'

'Ik was het alleenzijn moe. Ik had behoefte aan volwassen mensen om mee te praten. Niet van mijn werk, maar anderen. Ik heb hier geen vrienden. Ik ben niet van hier. Via internet leerde ik Renée kennen. Ze was oké. Ik gaf om haar op mijn eigen manier. Vooral toen ze er opeens niet meer was. Toen pas merkte ik hoezeer ik haar miste. Dat dit gebeurd is…'

'Je had dit niet kunnen voorkomen,' stelde Julia.

'Nee?' Hij keek haar kort aan. Meggie draaide zich vrij plotseling om, rende naar haar vader toe en pakte zijn hand. Een beetje ongeduldig begon ze aan hem te trekken.

'Wat bedoel je?' vroeg Julia. Ze stond tegelijk met Chris op. Chris schudde alleen maar zijn hoofd. 'We moeten gaan.'

'Als er iets is wat je weet…'

'Nee.' Hij gaf het antwoord veel te vlug.

Julia keek hem aan. Ze negeerde het meisje dat aan zijn hand stond te trekken.

'Sorry, het was gewoon een stomme reactie. Ik weet niets, alleen dat sommige mensen een hekel aan mij hebben. Soms

denk ik wel dat Renée daarom…' Hij maakte de zin niet af.
'Misschien moet je daar met de politie over praten.'
'Misschien,' reageerde hij vaag. Hij wilde zich omdraaien, maar bedacht zich. 'Als je nog eens zin hebt om langs te komen ben je welkom. Zonder blocnote.'
'Misschien doe ik dat wel.'
'Kijk maar. Het is prettig om met je te praten. Alleen daarom. Ik wil verder niets van je.'
'Weet ik.'
'Waarschijnlijk is het stom om met een journalist te praten.'
'Journalisten zijn ook mensen. Ik publiceer niets wat je niet in de krant wilt hebben.'
Hij hield zijn blik een paar seconden op haar gevestigd. 'Ik ben benieuwd.'
Meggie trok nog steeds aan de hand van haar vader. 'In een houten hok,' murmelde ze. 'Opgesloten, opgesloten, opgesloten in een houten hok.'
'Wat zeg je?' Chris boog zich naar haar toe.
'In een houten hok, opgesloten, opgesloten, opgesloten, opgesloten, in een houten hok.' Ze was nauwelijks verstaanbaar.
'Wat bedoel je daarmee?' vroeg Julia. Ze keek naar de grote, lege ogen van het meisje.
'Nicholas is stout. Stoute Nicholas. Stout, stout, stout. Nicholas opgesloten.' Met haar vrije hand streek ze over haar hoofd
'Wie is Nicholas?' vroeg Julia.
'Weet ik niet,' antwoordde Chris kortaf. Ze wist dat hij loog.
'Ze krijgt hoofdpijn.' Hij keek naar Meggie. Meggies vingertoppen kroelden door haar blonde haar.
'Heeft ze dat vaak?'
'Ja. Ik moet gaan.'
'Ja.'
Hij draaide zich om en liep met het meisje mee. Hij keek niet meer om.

Julia keek het tweetal na, totdat ze volledig uit zicht verdwenen. Ze vroeg zich af wat de woorden van het meisje betekenden. Loze woorden? Het moest bijna wel. Toch kon ze ze niet uit haar hoofd zetten. De naam Nicholas al helemaal niet. Ze keek nog een keer naar het stille ven en liep toen langzaam terug naar de auto. Nog een keer dacht ze aan het geluid dat ze had gehoord. Voor zichzelf had ze bepaald dat het een dier was geweest. Waarschijnlijk klopte dat ook wel, maar een licht beklemmend gevoel kon ze niet ontkennen. Misschien had het niets met dat geritsel in die struiken te maken, maar meer met de sfeer die er hing. Een gebeurtenis die had plaatsgevonden of misschien nog in de lucht hing. Een gevoel van onveiligheid. Nog niet zo lang geleden had ze geleerd dat de aanwezigheid van iets of iemand een stempel op een gebied kon drukken. Alsof hij of het altijd en overal aanwezig was. Was dit ook zoiets?

In gedachten zag ze een vrouw uit een auto stappen. Iemand nodigde haar uit om in een andere auto te stappen. Ze deed wat er van haar werd verlangd, maar schrok toen de deur sloot en de auto vol gas wegstoof. Ze besefte te laat dat ze het niet had moeten doen. Dat ze hier helemaal niet had moeten komen. Was het zo gegaan?

Renée keek naar haar trillende vingertoppen. Twee nagels waren gescheurd. Gescheurd tot in het vlees. Het bloed bij de gescheurde nagels was opgedroogd en vormde kleine korsten. Ze pulkte eraan. Ze wist niet waarom. Gewoon om iets te doen. Ergens daarbuiten scheen de zon. Ze zag de vage lichtstraal. Ze wilde dat ze iets kon roepen, maar de tape op haar lippen verhinderde dat.

Langzaam ging de deur open. Ze kroop naar achteren, tegen de wand van haar gevangenis. Ze wilde eruit, maar ook weer niet. Wat haar wachtte was erger dan de gevangenis.

Er was geen ontkomen aan en dat wist ze. Haar arm deed pijn

toen hij werd vastgepakt. Waarom was ze naar die afspraak gekomen? Ze wist het wel. Natuurlijk wist ze het wel. De belofte aan geld. Alleen daarom. Bijna ging ze weer huilen. Ze haalde diep adem en dwong zichzelf om rustig te blijven. Ze moest gaan praten. Zich anders opstellen. Beloftes doen.

Alleen als ze geloofwaardig was maakte ze een kans. Misschien.

Ian leunde achterover in zijn stoel en blies sigarettenrook uit. De hoorn had hij nog in zijn hand.

Een onopvallende jongen, was hem verteld. Chris was altijd een onopvallende jongen geweest. Een soort *nerd* bijna. Altijd keurig gekleed, ouderwets kapsel, niet roken en drinken, geen uitgangstype. Helemaal niets. Intelligent. Dat wel. Hij had zijn opleiding met zichtbaar gemak afgerond. Vrienden had hij niet veel gehad. Te rustig. Wel jammer, had de oude leraar Smits gezegd. Weinig andere kinderen wisten daardoor niet wat voor een jongen Chris was. Hij wel. Onzeker, maar ook hulpvaardig en warm. Dat hadden weinig mensen geweten. Alleen degenen die werkelijk moeite hadden gedaan om hem te leren kennen.

Niet zo veel dus. Ook geen meisjes. In die tijd was hij nog niet erg knap geweest. Dat was pas later gekomen.

Op de vraag van Ian of Chris misschien gefrustreerd was geweest had de leraar ontkennend geantwoord. Voorzover de oude man wist had Chris geen gemakkelijke jeugd gehad, maar frustraties kon hij zich niet voorstellen. Daarvoor was Chris weer te normaal geweest. Hij had Ian nog een paar namen gegeven. Namen die Julia wellicht kon natrekken. Uiteindelijk was het niet zijn werk. Dat hij toch met die leraar had gesproken was meer toeval geweest. Hij had tijdens zijn bezoek aan Chris papieren gezien met de naam van een bedrijf erop. Het bedrijf waarvoor Chris werkte. Het was een bedrijf dat hij kende omdat hij tijdens de nieuwbouw van hun kantoor foto's had gemaakt.

Een sessie die was uitgelopen op een avondje uit met de directeur. En met vrouwen. Hij was het niet vergeten. De directeur
ook niet. Daarom had hij zo gemakkelijk de naam van die
leraar genoemd. Andere namen wist hij niet. Geen familie en
geen vrienden.

Een lieve jongen, had Smits gezegd. Een sympathieke, rusti-
ge kerel, had de directeur hem genoemd. Ian vroeg zich af of
dat zo was. Misschien wel. Hij had zich al eerder vergist.

4

Julia leunde achterover in haar stoel en dronk een slok bier uit een fles. Zoals gewoonlijk zat ze in de kamer van Ian.
Ze had hem over haar ontmoeting met Chris en zijn dochter verteld. Ian had nog niets over zijn telefoongesprek gezegd. Hij zat tegenover haar. 'Waarom doe je er niets mee?'
'Ik heb toch een artikel geschreven. Je hebt de krant gelezen...'
'Ik heb ook je artikel gelezen.'
'Niet goed?'
'Heel aardig geschreven stuk. Je zou de politiek in moeten gaan.'
'Hoezo?'
'Omdat je het presteert om zo'n lang verhaal te schrijven zonder iemand iets wijzer te maken.'
'Er staan veel feiten in.'
'Feiten die bij de meeste mensen allang bekend zijn en wat onbelangrijke zaken over Renée Silver. Zaken die geen rol spelen. Heel wat anders dat de informatie die je gisteren en vooral vanmorgen hebt losgepeuterd. Waarom doe je daar niets mee?'
'Omdat ik hem dat heb beloofd.'
Ian keek haar aan en trok een wenkbrauw omhoog.
'Het is nog te vroeg. Er zijn nog te veel vragen.'
'Begin met die sekte. Ga er achteraan.'
'Ik ken de naam van die sekte nog niet. Alleen een voornaam. Martin.'
'Sinds wanneer is dat voor jou een probleem? Zoek het uit.'
Ian pakte een sigaret uit het pakje en stak hem op. 'Ik denk dat er een aardig verhaal in zit.'
'Chris weet meer dan hij zegt. Als ik hem zover kan krijgen

dat hij mij vertrouwt. Dat hij praat…'

'Denk je dat hij niet alles heeft verteld?'

'Nee.'Julia nam nog een slok.

Rituelen.

'Niet alles.'

'Denk je dat hij problemen heeft met publicatie?'

'Nu wel, maar uiteindelijk niet, denk ik. Hij haat die mensen.' Ze speelde nadenkend met haar fles. 'Ja, ik denk dat hij hen echt haat.'

Ian knikte en stak zijn sigaret aan. 'Daar kan ik mij wel iets bij voorstellen. Misschien kunnen we hem helpen.'

Julia haalde haar schouders op. Ze wilde erop ingaan, maar haar mobiele telefoon eiste alle aandacht op. Ongeduldig ging hij over met een hard, penetrant geluid. Julia vloekte zacht. 'Waarom staat dat rotding zo verdomd hard?'

'Omdat je hem anders nooit hoort,' reageerde Ian laconiek.

Julia zuchtte diep en nam het telefoontje aan.

'Spreek ik met Julia Lajeune? De journaliste?' vroeg een onzekere stem aan de andere kant.

'Ja.'

'Je spreekt met Jolien Jeffersen. Ik ben, ik was…ik weet het niet.' Een paar tellen bleef het stil aan de andere kant van de lijn. Julia hoorde alleen iemand snuiven. 'Ik ben een vriendin van Renée Silver.'

Julia ging recht zitten en keek Ian aan. Haar lippen vormden de woorden 'vriendin Renée.'

'Renée Silver, de vrouw die vorige week verdween?'

'Ja. Ik vroeg mij af… kan ik je misschien spreken?'

'Natuurlijk. Zal ik naar je toekomen?'

'Nee,' zei Jolien gehaast. 'Ik kom wel naar jou toe.'

'Ik woon in Ospeldijk.'

'Geen probleem. Ik heb een auto. Is het goed als ik nu meteen kom? Ik weet niet of ik nog kom als ik te lang wacht. Of ik dan nog durf…kan… komen.'

'Ik geef je mijn adres.'

Julia legde de vrouw uit hoe ze bij haar kon komen en verbrak daarna de verbinding.

Ze keek Ian aan. 'De vriendin van Renée Silver. Ze wil mij spreken.'

'Waarover?'

'Over Renée neem ik aan.'

'Dat kan interessant worden.'

Julia knikte langzaam en nam nog een slokje bier. 'Er is iets aan de hand.'

'Ze zal vermoord zijn. Hoe zit dat nu met Chris zelf? Wat denk je?'

'Weet ik niet. Hij is er het type niet voor. Ik geloof niet dat hij haar iets heeft aangedaan, maar hij weet wel meer dan hij vertelt.'

'Dat zei je, ja.'

'Niet alleen over die sekte. Er is sprake van een zekere Nicholas. Het meisje noemde die naam en ik weet bijna zeker dat Chris weet wie hij is, maar dat ontkende hij.'

'Ik dacht dat het meisje niet praatte?'

'Ze zegt af en toe iets. Het lijkt nergens op te slaan, maar ik vraag mij af of dat echt zo is.'

'Waarom?'

'Ze zegt ook steeds dat *ze* opgesloten is. Ze zegt niet wie, maar misschien gaat het wel over Renée. Misschien heeft het ook met die Nicholas te maken. Ik word er niet echt wijs uit.'

'Hoe kan zij daar iets van afweten? Tenzij het met Chris te maken heeft.'

'Geen idee. Misschien weet ze er helemaal niets vanaf. Misschien heeft het helemaal niets met Renée te maken.'

'Wat zegt Chris ervan?'

'Hij denkt dat het met haar eigen opsluiting te maken heeft. De moeder sloot haar op...'

'In de kelder. Dat vertelde je. Lijkt voor de hand te liggen. Ik heb trouwens navraag gedaan naar Chris.'

'Waarom?'

'Toeval, eigenlijk. Ik ken het bedrijf waar hij voor werkt. Beter gezegd ken ik de directeur, Stark. Ik heb hem gebeld en info gevraagd over Chris. Veel wist hij niet te zeggen. Hij gaf mij alleen de naam van een leraar die als referentie was opgegeven. Ene Smits.'

'En die heb je gebeld?'

'Ja.'

'En?'

'Niets bijzonders. Chris was een onopvallende jongen. Niet knap. Toen nog niet. Rustig, terughoudend, maar wel behulpzaam. Stark zei ook zoiets.'

'Werkt hij daar al lang?'

'Twee jaar. Het vorige bedrijf waar hij voor werkte was failliet. Stark wist heel weinig van hen af.'

'Weten hij en Smits iets van vrienden, familieleden?'

'Nee. Smits wist alleen dat Chris een moeilijke jeugd heeft gehad. De moeder schijnt vroeg vertrokken te zijn.'

'Heb je namen gekregen?'

'Drie. Twee leraren en een leerling.'

'Ga je hen nog bellen?'

'Als jij dat eens deed.'

'Ik probeer achter de naam van die sekte te komen.'

'Ik ben geen journalist.'

'Weet ik. Je hoeft er ook niet over te schrijven. Alleen navraag doen.'

'Over Chris?'

'Over Chris en over de jeugd die hij heeft gehad. Misschien dat je via hen ook iemand op het spoor komt die Evelin kende. Ik wil weten wat zij voor iemand is. En Nicholas.'

'Evelin kwam pas veel later in het leven van Chris.'

'Klopt. Maar misschien dat je via via aan het adres van iemand van het vorige bedrijf kunt komen.'

'Die kans is klein.'
'Niet onmogelijk.'
'Nicholas dook misschien ook pas later op.'
'Misschien wel, misschien niet. Wil je het voor mij doen?'
Ian zuchtte. 'Het zal wel moeten.'
'Ja.'

* *De nacht van de wolf (isbn 90-76968-06-3)*

5

Bijna een uur later belde Jolien aan. Julia deed de deur open en begeleidde de nerveuze vrouw naar de woonslaapkamer van Ian. De ietwat verbijsterde blik van de jonge vrouw toen ze het vertrek binnenkwam ontging haar niet. Ian evenmin. Hij liep naar haar toe en gaf haar een hand. 'Ian Allister. Het is hier een rotzooi, maar dat weet ik. Let er maar niet op. Iets drinken?' Hij keek haar recht aan. Het maakte haar schijnbaar onzeker.

'Wijn?' vroeg ze aarzelend. Ze beantwoordde de blik van Ian niet.

'Prima. Ga zitten, als je een lege plaats kunt vinden.' Ze knikte en keek hem nog steeds niet aan.

'Ian is een vriend van mij. Ik werk altijd met hem samen. Hij is fotograaf.'

'Oh.' Jolien keek gejaagd om zich heen en nam plaats op het puntje van de bank.

'Als je wilt gaat hij weg…'

'Ik weet het niet…' aarzelde ze.

'Hij kent het verhaal over Renée en kan misschien helpen. Maar alleen als je dat wilt.'

Ze knikte kort, bijna onzichtbaar. 'Kan ik hier roken?'

'Ga je gang. Ian rookt zelf als een ketter.'

'Ik zag jouw naam onder het artikel in de krant van vanmorgen staan. Dat stuk over Renée. Ik heb de redactie gebeld en jouw telefoonnummer gevraagd. Ze wilden het eerst niet geven. Pas toen ik vertelde wie ik was en waarom ik belde.' Jolien veegde onrustig haar donkerbruine haar naar achteren.

'Waarom belde je?'

'Ik was een vriendin van Renée.' Ze trok gehaast aan haar sigaret. 'Ik bén een vriendin van Renée. Mijn god, ik weet het niet. Zou ze nog leven?'

Julia gaf geen antwoord.

Ian kwam bij hen staan en zette een glas wijn voor Jolien neer.

'Juul, wijn?'

'Bier.' Haar blik was op Jolien gericht. De vrouw zag er goed verzorgd uit. Zelfs haar schouderlange haar was perfect gekapt, terwijl het de illusie van een los kapsel moest wekken. Misschien zou ze knap zijn als haar gezicht niet zo vreselijk mager was. Haar zilveren armbanden rinkelden. Ze nam een grote slok wijn en trok meteen weer gejaagd aan haar sigaret.

'De politie gelooft mij niet. Misschien ook wel. Ik weet het niet. Ze doen in elk geval niets.'

'Wat is er aan de hand?'

Ian zette twee flessen bier op de tafel neer en ging naast Jolien zitten. Jolien veegde een denkbeeldige pluk haar weg en schoof een stukje opzij.

'Iemand volgt mij. De moordenaar van Renée.'

'We weten niet of ze dood is,' bracht Julia haar in herinnering.

'Nee, natuurlijk niet.' De woorden schoten eruit als kogels. 'Ik weet het ook niet. Ik ben nogal in de war. Renée werd gevolgd, weet je. Voordat ze verdween werd ze lastiggevallen.'

'Wat gebeurde er?'

'Telefoontjes, inbraak, dreigingen.'

'Wist ze wie het deed?'

'Nee. Ze werd een paar keer benaderd. Eerst door Martin. Hij wilde met haar praten over Chris en Evelin. Ze wilde eerst niet naar hem luisteren, maar hij kwam haar achterna. Uiteindelijk schijnt ze toch met hem gepraat te hebben. Precies weet ik het ook niet, maar ze beweerde dat hij haar kon helpen. Twee keer werd er ingebroken. Allebei de keren werd haar behang met rode verf bespoten. De verf was niet zo erg, maar wel de wetenschap dat iemand gemakkelijk in haar woning kon. Hij

bedreigde haar; de teksten op de muur, de telefoontjes… ze kreeg zelfs brieven. Ze was doodsbang. Ik zei dat ze bij die Martin weg moest blijven, maar dat deed ze niet. Integendeel.'
'Denk je dat Martin het deed?'
'Weet ik niet. Misschien. Misschien wilde hij wel dat ze bij hem bescherming zocht. Dat ze hem vertrouwde. Ik geloof dat hij op die manier werkt.'
'Zieltjes winnen?' vroeg Ian.
'Zoiets.'
'Ze werd eerst door Martin benaderd, zei je. Door wie nog meer?'
'Ene Nicholas.'
'Nicholas?' Julia negeerde de spanning die plotseling haar lichaam beheerste en probeerde rustig te klinken. 'Wie is Nicholas?'
Jolien haalde haar schouders op. 'Weet ik niet. Ik geloof dat Chris Nicholas kende, maar hij wilde er niet over praten.' Ze dronk opnieuw van haar wijn. Haar hand trilde een beetje. 'Ik geloof dat die Nicholas ook gevaarlijk is. Meer nog dan Martin'
'Waarom denk je dat?' vroeg Julia. Ze dacht aan Meggie.
Nicholas is stout.
'Ze heeft hem nooit gezien, maar hij heeft haar een paar keer gebeld. Ze was erg bang voor hem.'
'Bedreigde hij haar?'
'Niet echt. Hij stelde vragen…' Ze twijfelde. 'Seksuele vragen. Hij wist ook altijd waar ze was en wat ze deed. Ik geloof dat hij degene was die haar volgde. Ze zei vaak dat ze het gevoel had dat iemand naar haar keek. Ik dacht dat ze paranoïde was, totdat hij haar een keer belde waar ik bij was. Vlak daarna zagen we iemand bij het raam. Het was avond en erg donker. We konden hem geen van beiden goed zien, maar we wisten dat hij er was. Misschien heeft hij bij haar ingebroken. Dat moet bijna wel want hij wist precies hoe haar woning er vanbinnen uitzag. Hij of iemand anders die ze goed kende.'
Ze inhaleerde diep. Haar bewegingen waren onrustig. Soms

keek ze vluchtig om zich heen.

'Kent de politie Nicholas?' vroeg Ian.

Jolien haalde haar schouders op. 'Weet ik niet. Naar het schijnt heeft Chris hen wel verteld wie Nicholas is, maar ik geloof niet dat ze hem al hebben gevonden.' Ze nam opnieuw een slok en pakte een nieuwe sigaret. 'Maar hij vindt ons wel.'

'Wat bedoel je?' vroeg Julia.

'Hij zit nu achter mij aan.' Ze keek opnieuw schichtig om zich heen. 'Hij is er steeds. Ik weet niet waar precies, maar ik voel het. Die ogen die steeds op je gericht zijn, zijn aanwezigheid…' Ze stak haar sigaret aan en nam een paar gejaagde trekjes. Onrustig plukte ze aan de leuning van de bank. 'Ik ben doodsbang. Misschien ben ik de volgende.'

'Hoe weet je dat hij het is?' vroeg Ian.

'Dat weet ik niet. Als hij het niet is…' Ze lachte. Een kort, hysterisch lachje.

'Martin of Evelin?'

'Martin? Zou kunnen. Evelin…Ik weet het niet. Dat is die ex, hè? Nee, die ook niet. Ze schijnt vaker op Dierdonk te komen, maar ik denk dat het haar om het kind gaat. Volgens Renée gaf ze niet veel om het kind, maar Renée kan zich vergissen. Ze weet, of wist, alleen wat Chris haar vertelde. Nicholas bespiedde Renée, dus het zal ook wel Nicholas zijn die mij bespiedt.' Ze schoof onrustig over de bank. Haar hakken tikten op de vloer.

'Wie zou het nog meer kunnen zijn?' vroeg Julia scherp.

'Hoe bedoel je?' Ze drukte de sigaret nerveus uit.

'Chris?'

'Zou kunnen. Hij weet ook hoe ze woont en wat ze doet.'

'Waarom? Waarom zou hij zoiets doen?'

'Weet ik niet. Hoe moet ik dat verdomme weten,' gooide ze er geïrriteerd uit.

'Wat verwacht je van ons?' vroeg Ian.

'Hulp. Weet ik niet… een oplossing. Jullie zijn journalisten.

Jullie zoeken toch altijd van alles uit?' Ze wendde zich nu tot Julia. 'Dat met die wolf... dat heb jij toch ook uitgezocht?'*
'Ik weet niet of je het zo kunt noemen,'zei Julia aarzelend. Ze werd er niet graag aan herinnerd.
'Jij ontdekte toch wie de moordenaar was?'
'Ik had niet veel keus,' mompelde Julia.
'Sorry?'
'Laat maar.'
'Jullie moeten mij helpen. Jullie moeten uitzoeken wie Nicholas is. Misschien heeft hij Renée. Als ze tenminste nog leeft.' Ze rookte vluchtig en duwde haar sigaret uit. 'Ik wil weten wie hij is en waar hij is. Ik ben doodsbang dat hij op een dag opeens in mijn kamer staat. Ik woon alleen, zie je.'
'Heb je Chris naar Nicholas gevraagd?'
'Ik heb hem gebeld toen Renée pas was vermist. Chris was heel kortaf en ontkende dat hij Nicholas kende. Ik weet zeker dat hij loog. Chris weet wie Nicholas is. Misschien werken ze samen. Weet ik het... De politie zegt ook helemaal niets, dus ben ik op mezelf aangewezen. Daarom vertel ik alles aan jullie. Als het in de krant komt, weet iemand misschien wie deze Nicholas is en waar hij is. Bovendien kunnen ze er dan niet meer omheen. Dan moeten ze mij wel beschermen. Het staat nogal slordig als ik aangeef dat ik word gevolgd en vervolgens word vermoord omdat niemand iets deed.'
'Je zei eerder dat Martin ook iets met de verdwijning te maken kan hebben.'
Jolien knikte. 'Weet je dat zijn volgelingen bijna allemaal vrouwen zijn? Vrouwen en kinderen. Hij noemt zichzelf de cirkel van het licht.' Ze lachte kort en schel, zonder enig plezier. 'De enige die hij licht brengt is zichzelf.'
'Hij haalt geld uit de sekte?' vroeg Ian.
'Ik kan het niet bewijzen, maar ik weet dat Renée hem soms betaalde. God mag weten waarvoor.'
'Heb je hem al eens gesproken?'

Jolien knikte. 'Ja. Niet dat ik daar veel wijzer van ben geworden, maar ik heb inderdaad met hem gesproken. Ik moet hem niet.' Ze schoof onrustig over haar stoel. 'Een gladde prater.' Ze staarde piekerend naar de as van haar nieuwe sigaret, die er bijna af dreigde te vallen. 'Ja, ik denk dat hij het ook gedaan kan hebben. In dat geval zou ze nog kunnen leven. Als hij haar heeft wel. Als die Nicholas haar heeft... Ik geloof echt dat Nicholas gevaarlijk is. En Chris...Chris... voor zover ik weet kan het wel een vriend van die Nicholas zijn. Weet ik het... Die Chris is ook niet zo aardig als iedereen denkt.'
'Ken je hem?'
'Nee.' Ze antwoordde aarzelend. 'Niet persoonlijk. Renée had het vaak over hem. Vertelde eigenlijk alles. Ik heb hem zelf nooit ontmoet.'
'Hoe weet je dan dat hij niet aardig is?'
'Dat weet ik niet. Dat denk ik. God, wat stel je veel vragen. Ik weet het allemaal niet. Ik ben in de war. Vind je dat gek? Na alles wat er is gebeurd.'
Ze dronk haar glas in een teug leeg. 'Heb je nog?'
Ian knikte en schonk een nieuw glas vol.
'Renée en ik zijn... waren... zijn... verdomme ik weet het niet. We zijn al ruim een jaar vriendinnen. Zij is schoonheidsspecialiste en ik kapster. We wilden samen een salon beginnen, maar we hadden geld nodig. Zelf vond ik het niet zo belangrijk. Ik heb een kapsalon en die konden we wel verbouwen, maar Renée wilde meer. Ze had dromen... grote dromen. Een soort kuurcentrum waar vooral belangrijke mensen kwamen. Daar keek ze nogal tegenop. Je had haar moeten zien toen ze Chris leerde kennen. Een architect. Soms geloof ik dat ze om die reden een verhouding met hem had. Dat ze hoopte dat hij haar kon helpen.' Ze wachtte even en stak een nieuwe sigaret op. 'Begrijp mij goed. Ik kon goed met Renée overweg. Meestal waren we net zussen. Ze had alleen... ambities. Ja, ambities. Rijk worden. Optrekken met mensen uit hoge krin-

gen. Zoiets. Ze deed veel voor geld. Ik heb haar wel eens gezegd dat ze dat niet moest doen. Dat zoiets gevaarlijk was, maar ze lachte daar alleen maar om. Ze masseerde ook, zie je. Rijke mensen. Het was niet alleen het masseren... ik denk niet dat Chris dat wist.'

'Ging ze met hen naar bed?' vroeg Ian

Jolien keek zijn kant uit, maar ontweek zijn ogen. 'Weet ik niet. Misschien. Erotische massages deed ze. Ik weet niet goed hoe ver dat ging. Ze deed het alleen als ze er dik voor betaald kreeg.'

'Had ze ook relaties naast die met Chris? Met Martin bijvoorbeeld?' vroeg Julia.

Jolien beet op haar lip. 'Martin stelde zich als een soort therapeut op. Ik geloof niet dat ze met hem een relatie had. Zeker weet ik het niet. Er waren wel andere mannen. Mannen met geld. Of het echt relaties waren, weet ik niet, maar ze kreeg er vaak geld van. Geld en cadeaus. Ik denk dat ze hen gebruikte. Eerlijk gezegd denk ik dat ze Chris ook gebruikte.' Ze dronk gulzig een paar slokken wijn. 'Ik denk niet dat Chris dit in de krant wil lezen.'

'Wist hij het?'

'Weet ik niet. Hun relatie was niet perfect en dat moet hij ook hebben geweten. Het moet frustrerend zijn geweest. Omdat het tussen hen, nou ja, die problemen...' Jolien aarzelde.

'Welke problemen?' vroeg Ian. Hij bleef haar aankijken, maar zij richtte haar blik op de zitting naast haar.

'De seks was niks. Dat heeft ze mij een keer gezegd. Hij bakte er niets van in bed. Ze zei dat ze daarom af en toe met andere mannen sliep.'

'Geloofde je dat?'

'Dat van die seks was misschien wel waar, maar ik weet zeker dat ze niet om die reden met andere kerels sliep. Dat had meer een financiële reden. Ze was namelijk niet gek op seks. Ze deed alleen maar alsof, maar eigenlijk vond ze er niets aan.

Als je daar met haar over praatte deed ze alleen maar min-achtend… alsof het een of andere formaliteit was die nu een-maal moest gebeuren.'

'En toch zei ze dat ze vanwege de seks met die andere kerels sliep,' zei Julia nadenkend.

'Ze zei wel meer tegenstrijdige dingen.' Jolien rookte opnieuw gehaast en blies de rook in kleine, kriebelige kringetjes uit. Ze keek nu Julia weer aan. 'Ga je dit in de krant zetten?'

Julia schudde haar hoofd. 'Nog niet in elk geval.'

Jolien knikte. 'Dat is goed.'

'Wat weet je van die sekte?' vroeg Julia.

'Bar weinig.' Ze dronk snel haar glas weer leeg. Een klein straaltje wijn liep langs haar kin. Een beetje geërgerd veegde ze het weg. 'Alleen dat wat ik heb verteld. Het stelt allemaal niets voor. Waarom?'

'Denk je dat Nicholas daar misschien ook deel van kan uit-maken?'

'Weet ik niet. Misschien wel. Mijn god, wat mij betreft is zelfs Chris lid.' Ze schudde geïrriteerd haar hoofd en schonk zich-zelf een nieuw glas wijn in. 'Hoe moet ik dat verdomme weten.'

'Kent Meggie Nicholas?' vroeg Julia.

'Meggie?' Jolien lachte kort en bitter. 'Meggie? Meggie praat niet. Althans, ze geeft nooit een antwoord op datgene wat je vraagt. Dat zei Renée tenminste altijd. Praten doet ze wel, heb ik begrepen. Ze zegt… Jezus…' Jolien sloeg haar hand voor haar mond.

'Wat is er?' vroeg Julia.

'Ze heeft het voorspeld.'

'Wat voorspeld?'

'Renée gaat weg, zei ze. Ik geloof dat ze dat wel tien keer zei. Renée gaat weg, weg, weg, Renée gaat weg, weg, weg. Zoiets. Het was vlak voor Renée verdween. Renée vertelde het. Ze was nogal van streek omdat ze dacht dat het kind haar weg wilde hebben.'

'Waarom maakte haar dat van streek?' vroeg Ian
'Chris hangt heel erg aan zijn dochter. Renée zei wel eens dat hij dat achterlijke meisje als een prinses behandelde. Ze was daar wat kregelig over. Ze vond het belachelijk.'
'Ze dacht dat Chris haar zou dumpen als zijn dochter dat wilde?'
'Zoiets, ja.'
'Keek ze Renée aan toen ze dat zei?' vroeg Julia.
'Weet ik niet. Nee. Nee, Renée zei dat ze met zo'n stomme pop speelde. Ze keek Renée niet aan. Ze speelde met die pop en kreeg toen hoofdpijn. Ik geloof dat dat nogal vaak gebeurde. Ze kreeg hoofdpijn en zei dat Renée wegging. Of andersom. Dat weet ik niet. Ik had er helemaal niet meer aan gedacht, tot nu.'
'Kon Renée met haar overweg?' vroeg Ian.
'Niet echt. Renée vond het een raar kind. Ze probeerde wel een paar keer contact met haar te krijgen, maar dat lukte niet. Renée vertelde wel eens dat het meisje haar de stuipen op het lijf joeg. Ze dook altijd overal plotseling op, maar reageerde helemaal nergens op. Alsof ze geen gevoel had of zo. Misschien mocht ze Renée niet en wilde ze inderdaad dat ze wegging, maar ik vind het toch raar. Wat als ze werkelijk wist wat er zou gebeuren? Misschien zag ze echt iets. Misschien is ze wel helderziend of zo.'
'Ik weet het niet,' antwoordde Julia.
Nicholas is stout.
Ze is opgesloten.
'Kinderen schijnen veel vaker die gave te hebben dan volwassenen, omdat ze nog niet worden gehinderd door onze normen. Ik heb dat eens ergens gelezen. Het is jammer dat je niet normaal met haar kunt praten,' zei Jolien peinzend.
'Ja, dat is zo.'
Jolien knikte en dronk haar glas opnieuw leeg. Ze stak een nieuwe sigaret op en staarde nadenkend voor zich uit.

Toen Jolien een half uur later weer naar buiten ging, liep ze met korte, snelle passen naar haar auto. Rechts van haar verdween iemand gehaast om de hoek. Jolien hield haar adem in en staarde naar de hoek. Ze zag niets meer. Het duurde een paar tellen voordat ze haar ademhaling weer onder controle had. Toen liep ze gejaagd verder naar de auto. Ze rende bijna. Ze voelde dat hij naar haar keek. Hij moest hier zijn. Ze wist zo zeker dat iemand naar haar keek. Ze trilde toen ze de deur van haar Renault opende. Ze wilde weg hier. Terug naar haar woning. Of zou ze moeten onderduiken? Terwijl ze de auto startte keek ze nog een keer naar het huis van Julia en Ian. Ze wist niet of het een goed idee was geweest om hier naartoe te komen. Misschien wel.

Ze sloot haar ogen kort en dacht aan Renée.

Renée zat op de vloer van de kleine ruimte. De warmte om haar heen liet de kilte niet uit haar lichaam ontsnappen. Het omsloot haar alleen als een dun vlies.

Ze was bang voor wat komen zou.

Ze schoof achteruit toen de hand naar de tape op haar mond reikte. Niet dat, dacht ze. Niet dat. Ze huilde. Ze wist dat ze huilde omdat ze de tranen voelde.

'Als je gilt maak ik je dood.'

Ze kende de dreiging uit haar hoofd. Ze keek niet omhoog. Niet naar dat vreemde gezicht.

Het plakband werd losgetrokken. Automatisch gilde ze. De klap in haar gezicht kwam hard aan.

'Hou je kop dicht en doe het.'

Renée schudde haar hoofd. Ze kon het niet. Ze kokhalsde.

'Nu.'

Renée schudde opnieuw haar hoofd en schoof achteruit. De binnenkant van haar lichaam leek alleen uit ijs te bestaan. Ze moest weg. Weg hier.

Ze wilde opstaan, wegrennen, maar ze deed het niet. Vlak voordat ze in een reflex overeind wilde komen bedacht ze zich. Wegrennen ging niet. Ze had het al eerder geprobeerd.

Ze hoorde zichzelf hijgen. Rustig, zei ze bij zichzelf. Rustig blijven. Praten.

Doe wat er van je verwacht wordt en doe alsof je het leuk vindt. Toneelspelen, zoals ze dat zo vaak had gedaan. Haar eigen gevoel was onbelangrijk. Ze moest overleven.

Langzaam werd het rustiger. De pijn ebde langzaam weg. Ze wist dat ze een begin had gemaakt.

6

'Wat vond je van haar?' vroeg Ian. Hij leunde achterover en liet zijn sigaret tussen zijn vingers rollen.
'Nerveus type. Rookte en zoop als een ketter.' Julia grijnsde.
'Familie van jou?'
'Nee. Ik ben niet nerveus.'
'Zou ze echt gevolgd worden?'
Ian haalde zijn schouders op. 'Weet ik niet. Misschien.'
'Ik denk dat ik nog maar een keer met Chris ga praten.'
'Geen slecht idee.'
'Ga je mee?'
'Ik denk niet dat hij dan veel praat. Ik heb trouwens nog een shooting vanavond.'
'Vanavond. Waar?'
'Bij Van Laarhoven.'
'Van Laarhoven? Die maakt toch porno?'
'Erotiek.'
'Is dat niet hetzelfde?'
'Nee.'
'Hoe kom je er in godsnaam bij om dat te doen?'
'Ik krijg goed betaald voor een mooi uitzicht. Reden genoeg, dacht ik. Bovendien is Lauren er ook.'
'Heb je iets met haar?'
'Misschien.'
'Jezus.'
'Nee, die niet.' Ian grijnsde. 'Ik ga pizza halen. Wil je er ook een?'
'Geen olijven.'
'Weet ik.' Hij pakte zijn portemonnee en wilde weggaan. Bij de deur draaide hij zich om. 'Als we jouw woning boven eens verhuurden?'

'En ik dan?'

'Kom je daar dan nog wel eens?'

Julia trok een schoen uit en gooide die naar Ian. Ian dook lachend weg en vertrok.

De stilte die volgde was drukkend. Ze hadden erom gelachen maar het was waar:

Julia vermeed haar eigen verdieping. Ian wist dat. Hij maakte er grapjes over, maar hij wist het. Iedere keer als ze boven kwam, werd ze overvallen door een gevoel van eenzaamheid, leegte. Ze kon het moeilijk omschrijven. Soms hield ze zich voor dat het de herinneringen waren die haar tegenhielden. Maar hoeveel herinneringen had ze hier nu? Hoeveel pijnlijke herinneringen? Relaties die geen kans van slagen hadden, maar was dat werkelijk zo nieuw? De enige echte pijn stamde uit de tijd dat ze hier nog niet woonde. Peter. Haar Peter die voor haar ogen zelfmoord pleegde in hun appartement. Dat was na Markala geweest. Na die gruwelijke aanslag, waarbij dat meisje, die Maria, was gestorven. Er was niet eens ruimte geweest voor jaloezie. De oorlog in Joegoslavië had alles veranderd, zoals dat zo vaak gebeurde. Het had een einde aan Peters leven gemaakt nog voordat hij de trekker in hun woonkamer overhaalde. Maar dat was niet hierboven geweest. Wat zich hierboven had afgespeeld stelde niets voor. Toch ontweek ze het. Misschien ontweek ze alleen de eenzaamheid. Ze dronk haar fles leeg en pakte Ians telefoon. Het werd tijd voor wat telefoontjes. Gewoon werken. Dan hoefde je nergens aan te denken.

Renée stond aan het water. Eigenlijk was het al te laat. Ze had het meteen op de parkeerplaats moeten doen, maar ze had op dat moment nauwelijks gevoel in haar benen gehad. Bij het uitstappen was ze er doorheen gezakt. Op eigen kracht was ze weer gaan staan, maar meer dan strompelen kon ze niet. Zo was ze dus ook meegegaan naar het water. Strompelend en bijtend op haar tanden van de pijn. De tape was van haar mond verwijderd, maar haar lippen en huid leken het nog niet te weten. Ze voelde nog steeds de brandende pijn, alsof ze met haar mond over kiezelstenen had geschraapt. Ze probeerde het te negeren en zwaaide voorzichtig met haar armen. Ze had de rode strepen op haar polsen gezien. Op sommige plekken was de huid verdwenen, maar het deed er niet toe. Het touw was weg en een beetje gevoel keerde terug in haar spieren. Ze voelden alleen nog zo lam. Ze zou er niet mee kunnen vechten. Haar enige kans bestond uit het zoeken van het goede moment.

Een paar tellen geleden had ze nog gedacht dat er vanaf nu meer momenten zouden volgen. Als ze eenmaal wat vertrouwen had gewonnen en daarmee meer vrijheid kreeg. Pas toen ze naar het water keek besefte ze dat ze er heel goed naast kon zitten. Misschien betekende dat water wel het einde. Paniek verspreidde zich als een ijzige inktvlek in haar lichaam.

Ze keek naar het gezicht naast haar. Geen emotie. Helemaal niets. Alleen die blik op dat water. Renée huiverde.

De paniek kwam terug. Nu, dacht ze plotseling. Het was een slecht moment, maar ze dacht niet na. Haar benen trilden hevig. Ze zette zich af en begon te rennen, zonder te weten waarheen. Zolang het maar weg was. Ver weg. Haar benen voelden vreemd aan, alsof ze van gelatine waren. Ze bewogen stijf en onnatuurlijk. Renée probeerde hen te dwingen om te luisteren. Als ze iemand tegenkwam…

Ze rende over het pad langs het water. De strakke rok knelde om haar bovenbenen. Haar dunne hakken boorden zich in de zandbodem. Haar voet sloeg om en een felle pijn sneed in haar enkel. Ze probeerde het te negeren en rende door. Ze kon het niet halen. Ze wist dat ze het niet kon halen en toch… Ze had het nog nooit zo bewust ervaren als nu. Opgeven was sterven. Ze wilde nog niet sterven.

Ze klemde haar kaken opeen en rende door. Haar eigen ademhaling overstemde de voetstappen achter haar. Toch wist ze dat ze er waren. Ook zonder om te kijken twijfelde ze geen moment.

Waarom zijn hier geen mensen?

Ze schreeuwde. Iemand moest haar toch horen?

Ze voelde een windvlaag over haar rug gaan en probeerde nog een laatste keer kracht te zetten. Ze zette zich af, probeerde naar voren te springen, maar haar rok trok zich strak om haar benen. Ze struikelde en viel.

Ze krabbelde overeind en wilde weer wegrennen. Een vlammende pijn ging door haar benen, waardoor ze weer in elkaar zakte. Ze voelde de ruk aan haar haren. Wild sloeg ze om zich heen en begon te gillen. Ze voelde de harde klappen nauwelijks. Totdat iets haar hoofd raakte. Vreemd genoeg deed het niet eens pijn. Ze kreeg het gevoel weg te zweven terwijl de duisternis haar omsloot. Haar lichaam gaf de strijd op en zakte in elkaar.

7

Toen Julia weer voor de witte woning in Dierdonk stopte, was het zeven uur. Het was nog schemerig, maar Julia wist dat dat snel genoeg zou veranderen. Over een paar weken zouden de dagen zichtbaar korter zijn. Ze zag op tegen de lange avonden. Ze probeerde er niet over na te denken toen ze uitstapte en aanbelde.

Niemand deed open. Julia drukte ongeduldig nog een keer op de bel. Hij kon weg zijn. Natuurlijk kon dat. Alleen wilde ze dat niet geloven. Moest Meggie niet op tijd naar bed?

Julia liep naar het woonkamerraam en keek naar binnen. Meggie zat in een hoek. Het kind had haar pop vast en keek naar buiten, naar de tuin. Ze deed helemaal niets. Een moment lang leek ze volkomen gehypnotiseerd.

Julia klopte voorzichtig op de ruit. Meggie reageerde niet. Julia klopte opnieuw. Dit keer luider. Meggie keek niet op. Ze bleef naar buiten staren.

Julia weifelde. Ze kon nog een keer aanbellen, maar het was duidelijk dat Meggie de deur niet zou openen. Chris was er niet. In elk geval niet in de kamer.

Onrustig keek ze rond totdat ze iemand op de hoek van de straat zag staan. Geen gewone voorbijganger. Iemand die als bevroren op dezelfde plek bleef staan en naar haar keek. Ze draaide zich langzaam zijn kant uit. Of was het haar kant? Vanuit dit punt kon ze dat niet zien. Het was iemand met een lange jas. De kraag stond omhoog en verborg een belangrijk gedeelte van het gezicht. Onder een hoed ging de rest schuil. Julia bleef een paar tellen staan en keek naar de gestalte. Ze wilde iets roepen, maar woorden bleven in haar keel steken. Wat moest ze roepen? Hé daar? Wie ben je? Ze betwijfelde of ze een antwoord zou krijgen.

Hij stond daar maar en keek naar haar. Hij of zij. Martin, Evelin, Nicholas of misschien zelfs Chris.

Julia haalde diep adem en liep naar de persoon toe, terwijl ze hem strak bleef aankijken. Een paar passen, toen draaide de vreemdeling zich om en liep gehaast weg. Julia rende naar de hoek van de straat en keek om zich heen. Er was niemand meer te zien. Ze vloekte zacht en liep terug naar de woning van Chris. Opnieuw belde ze aan. Opnieuw zonder resultaat. Ongeduldig liep ze om de woning heen en probeerde de poort naar de tuin. Het verbaasde haar dat hij open was. Het leek niet bij Chris te passen. Niet bij zijn voorzichtigheid. Of was het wantrouwen?

De tuin die ze binnenliep was aangelegd in verschillende hoogtes. Planten sloten nauwkeurig op elkaar aan en houten accenten zoals pergola's, tuinbankjes, stoelen en twee kleine tafels vormden een geheel met de houten vlonders. Stoeptegels in diverse patronen omsloten cirkelvormige bloemperken. Vooral een ronde border gevuld met paarse en witte heide in het midden van de tuin eiste aandacht op. Het was duidelijk zo aangelegd, maar maakte toch een natuurlijke indruk omdat de vorm niet volkomen rond was, maar grillig alsof de heide daar slechts per toeval groeide.

'Mooie tuin,' mompelde Julia. Ze dacht aan de kale tuin achter Ians woning die noch op de aandacht van Ian, noch op die van haar kon rekenen.

Ze liep door naar de achterdeur en ontdekte dat ze ook deze zonder problemen kon openen. Ze schrok. De deur hoorde niet open te zijn. Niet hier. Ze was gespannen toen ze binnenliep. Chris zou zijn dochter niet alleen laten. Het klopte niet.

Op haar hoede liep ze door de open keuken de woonkamer in. Meggie zat nog steeds in de hoek met haar pop. Ze leek Julia niet eens op te merken. Haar vinger gleed voorzichtig over het gezicht van de pop en volgde de contouren van neus, wangen en lippen.

'Waar is pappa?' vroeg Julia. Ze ging op haar hurken naast het kind zitten.

Meggie reageerde niet. Ze staarde naar de pop.

Julia ging staan en keek om zich heen. Alles zag er precies zo uit als de vorige dag.

'Dood,' zei Meggie zacht.

Julia verstarde en wendde zich weer tot Meggie. 'Wat zeg je?' Ze dacht aan Chris.

Meggie reageerde niet op Julia. Ze bleef naar de pop kijken.

'Dood. Een klap op de kop. Heel veel bloed. Dood.'

Julia voelde een ijzige kou in haar maag. Haar blik gleed door de lege kamer. Ze keek naar boven, naar het smetteloze plafond. Alsof ze kon zien wat zich daarboven afspeelde. Ze hoorde helemaal niets. De stilte was beangstigend. 'Wie is dood?'

'Er is heel veel zand. Grote bergen zand. Niemand kan haar zien. Ze kan niet roepen, want ze is dood.'

Ze.

'Meggie, over wie heb je het?'

'De pop.'

'Meggie…'

'Julia?'

Julia draaide zich geschrokken om toen de stem zo plotseling achter haar klonk. Ze had hem niet horen binnenkomen. Hij stond in de deuropening van de kamer en had alleen een handdoek om zijn middel geslagen. Zijn haren waren nat. Hij had een goed figuur. Ze wilde er niet naar kijken

'Sorry, ik had niet zomaar binnen mogen lopen, maar ik zag Meggie zitten en ik dacht dat jij in de buurt was.' *Waarom ratelde ze zo gejaagd?* 'Toen ik je niet zag, dacht ik dat er iets was gebeurd. Vooral omdat de achterdeur open was. Het leek mij niets voor jou om die open te laten.'

Waarom bleef ze naar hem kijken?

'Ik zat in bad.' Hij hield zijn blik op haar gericht. Verbaasd. Ontdaan.

'Was de deur open?'

Julia knikte.

'Verdomme. Verdomme, hoe kan ik zo stom zijn. Jezus.'

'Het spijt me…'

'Ik had de deur niet moeten openlaten. Iedereen had binnen kunnen komen. Iedereen. Verdomme.'

'Bedoel je een bepaald iemand?' vroeg Julia.

Chris keek haar een tel aan. 'Ja.'

'Wie?'

'Evelin bijvoorbeeld.'

'Waarom zou die binnenkomen?'

'Voor Meggie. Ze had Meggie kunnen meenemen.' Hij vloekte opnieuw.

'Zou ze dat doen?'

'Ze zwerft hier vaak genoeg rond en houdt het huis in de gaten. Ik denk dat ze dat zou kunnen doen, ja.'

'Heeft de politie al met haar gepraat? Over de verdwijning van Renée?'

'Nee.'

'Waarom niet?'

'Ze hebben haar nog niet kunnen vinden. Martin wel, maar die beweert dat Evelin niet meer bij hem is. Vlak na haar verdwijning belde hij en maakte een scène omdat ik Evelin zou verstoppen. De idioot. Alsof ik haar ooit nog in huis zou willen hebben. Waarschijnlijk was het allemaal maar toneel. Volgens mij zit ze nog steeds in die sekte, maar dan onder een andere naam. Als dat niet zo is, interesseert mij dat ook niet. Hier hoeft ze niet te komen.'

'Waarom vindt de politie haar niet? Ze is vaak hier in de buurt, zeg je.'

'Nooit als er politie is.'

'Vreemd. Heeft ze iets met de verdwijning van Renée te maken?'

Chris wreef door zijn haren. 'Weet ik niet. Nee, ik denk het niet. Ze zit achter Meggie aan. Misschien ook achter mij. Jezus, als ik bedenk wat er had kunnen gebeuren als zij achterom gekomen was…'

'Ik zag Meggie en wilde haar vragen waar je was.'

Chris lachte vreugdeloos. 'Ze zal je niet veel wijzer gemaakt hebben.'

Julia schudde haar hoofd. 'Niet echt. Ze zei alleen maar…'

Julia aarzelde weer.

'Wat zei ze?'

'Niets. Iets over de pop.'

Ze kan niet roepen, want ze is dood.

'Ze zegt vaak iets tegen de pop, of over de pop. Het gaat meestal over iets anders.'

'Is er wel eens iemand begraven die ze kende?'

Chris keek haar een paar tellen aan. 'Iemand begraven? Nee.'

'Mag ik je eens een rare vraag stellen?'

'Ga je gang.'Chris kwam verder de kamer in en kwam dichtbij Julia staan, recht tegenover haar. Ze rook het water en de zeep. Ze voelde zich plotseling ongemakkelijk, maar liet het niet merken.

'Ziet Meggie wel eens dingen? Ik bedoel dingen die ze niet kan weten. Dingen die gebeurd zijn?'

Chris wendde zich van haar af. 'Waarom?' Ze hoorde de tegenzin in zijn stem.

'Is het zo?'drong Julia aan.

'Iedereen denkt wel eens iets te zien of te weten. Als het dan later echt gebeurt…'

'Meggie dus ook?'

'Misschien.'

'Wat weet ze?'

Chris trok zijn schouders op. 'Ik denk niet dat ze iets weet. Het is alleen… ze zegt wel eens dingen… vreemde dingen… alsof ze iets ziet.' Hij twijfelde.

'Ga door.'

'Soms lijkt het alsof er mensen zijn die ik niet kan zien. Alleen zij. Ze praat ertegen. Maakt gebaartjes. Het is heel vreemd. Ze praat normaal gesproken nooit met mensen, maar wel tegen diegenen die ze met haar eigen fantasie vormt. Ze zegt dan dingen... dingen die gebeurd zijn en die ze niet kan weten. Of dingen die nog gaan gebeuren. Vooral als ze hoofdpijn krijgt. Vaak realiseer ik mij het verband pas veel later. Maar misschien beeld ik het mij allemaal in. Ik denk wel eens dat ik dat wil geloven omdat het haar bijzonder maakt. Een soort vervanging voor de dingen die ze niet kan. Het is idioot.'

'Ik weet het niet,' zei Julia voorzichtig.

Dood. Een klap op de kop. Heel veel bloed. Dood.

'Waarom vraag je dat? Denk je dat ze iets weet? Iets over Renée?'

'Ik weet het niet.'

'Wat heeft ze gezegd?'

Dood.

'Weet ik niet.'

'Je weet het niet?' Hij geloofde haar niet.

'Dat ze opgesloten was. Gisteren. Ik heb er steeds over nagedacht. Zou Renée ergens opgesloten kunnen zijn?'

'Opgesloten? Ik dacht dat ze doelde op de keren dat haar moeder haar had opgesloten. Ja, volgens mij bedoelde ze dat ook. Als het niet zo is... als het betrekking heeft op Renée.. dan leeft ze nog.'

'Misschien.'

Chris staarde een paar seconden voor zich uit, liep een paar passen achteruit en liet zich toen op een stoel zakken. 'Ik zou het graag geloven. Ik zou het echt graag geloven.' Hij draaide zich om naar Julia en keek haar strak aan. 'Wat zei ze vandaag tegen haar pop?'

Julia gaf niet meteen antwoord.

'Ik weet dat ze iets gezegd heeft.'

'Ze had het over de dood.'

Chris knikte. 'Dat dacht ik al.'

'Je denkt dat ze dood is?'

'Ja.'

'Waarom?'

'Omdat Meggie dat al eerder heeft gezegd. Ze is dood, zei ze.'

'Zei ze dat?'

Chris knikte. 'Ik heb het tegen niemand gezegd omdat ik dacht dat het niets te betekenen had. Misschien ook omdat ik bang was dat ze mij voor een gek aanzagen. Omdat ik dacht dat Meggie dingen zag. Daarom heb ik het niet gezegd. Maar diep binnenin ben ik ervan overtuigd dat ze gelijk heeft. Dat Renée echt niet meer leeft.' Hij wreef door zijn haren en keek Julia vermoeid aan.

'Jolien zei dat Renée werd lastiggevallen. Weet je daar iets vanaf?'

'Ze heeft contact gehad met Martin en iemand had bij haar ingebroken.'

'Enig idee wie?'

'Geen idee. Martin misschien. Hij zou zoiets kunnen doen. Of iemand anders.'

'Er is geen zekerheid?'

'Nee.'

'Jolien zegt dat ze nu ook wordt gevolgd.'

Chris lachte kort en zonder enig plezier. 'Jolien ziet spoken. Sorry dat ik het zeg, maar zo is het wel. Jolien ziet dingen die er niet zijn. Alleen heeft dat verdomd weinig met helderziendheid te maken. Ze is neurotisch en ze zuipt te veel. Dit is niet de eerste keer dat ze denkt dat ze wordt gevolgd. Geloof me.'

'Ken je haar dan?'

'Nee, maar Renée heeft mij vaak genoeg over haar verteld. Zo was Renée. Jolien was haar vriendin, maar Renée stond graag in het middelpunt. Met haar verhalen over Jolien kreeg ze gegarandeerd aandacht. Ze heeft er vaak genoeg over verteld als we alleen waren, maar ook tijdens feesten van de zaak.

Ik heb nooit begrepen waarom ze toch met Jolien een zaak wilde beginnen. Jolien is paranoïde.'

'Misschien. Wie is trouwens Nicholas?'

'Nicholas?' Chris staarde haar strak aan. Zijn gezichtstrekken veranderden, werden harder. 'Waarom wil je dat weten?'

'Ik heb zijn naam een paar keer gehoord. Jolien noemde zijn naam en Meggie ook.'

'Nicholas is mijn broer.'

'Jouw broer?' vroeg Julia verbijsterd. Aan die mogelijkheid had ze nog niet gedacht. 'Waarom zei je dat je hem niet kende?'

'Omdat ik het niet nodig vond om een journalist daarover te informeren.'

'Tegen Jolien zei je ook dat je hem niet kende.'

'Tegen Jolien?'

'Ze heeft je gebeld.'

'Heeft Jolien mij gebeld?'

'Niet?'

'Nee.'

'Dat zei ze. Misschien loog ze. Ze had het ook over Nicholas. Naar het schijnt was Renée bang voor hem'

Chris knikte. 'Hij belde haar. Ik weet niet waarom. Ik heb hem zelf al jaren niet meer gezien. Waar hij Renée van kende... Ik weet het niet. Ze vertelde een keer dat ene Nicholas haar steeds belde. Eigenlijk zei ze het per ongeluk, geloof ik. Ze had een beetje te veel gedronken. Toen ik ernaar vroeg deed ze een beetje raar. Ik geloof dat hij haar bedreigde.'

'Weet je wat hij heeft gezegd?'

'Nee. Renée was daar nogal onduidelijk over. Ze wilde er verder ook niet over praten.'

'Heb je haar verteld wie hij was?'

'Niet echt.'

'Waarom niet? Het is je broer. Waarom deed je of je hem niet kende?'

'Misschien omdat ik hem niet wil kennen.'

'Waarom niet?'

'Nicholas is geen prettige kerel.'

'Waarom niet?'

'Het is een klootzak. Een ijskoude klootzak. Hij heeft dingen gedaan…'

'Wat voor dingen?'

'Vergeet het.'

'Welke dingen, Chris,' drong Julia aan.

'Ik wil er niet over praten.'

'Hoe onprettig is Nicholas?'

'Wil je daarmee vragen of hij Renée vermoord kan hebben?' Hij keek haar nu weer recht aan en knikte. 'Ja, dat kan.'

'Weet de politie daarvan?'

'Ja.'

'Hebben ze hem gesproken.'

'Nee. Niemand weet waar hij is.'

'Er stond daarstraks iemand hier in de straat. Ik geloof dat hij naar mij keek,' zei Julia.

'Hij?'

'Kan het Nicholas geweest zijn?'

'Weet je zeker dat het een man was?'

'Nee.'

'Ik geloof niet dat het Nicholas was. Nicholas volgt mensen, maar hij laat zich niet zien. Nooit.' Het klonk woedend.

'Wie kan het anders geweest zijn?'

'Evelin.' Hij noemde de naam zonder aarzeling. 'Ik had die deur moeten sluiten.'

'Waarom zoek je haar niet? Ze moet toch nog in de buurt zijn. Misschien weet ze iets.'

Chris lachte kort en spottend. 'Ik denk niet dat ze het mij zou vertellen als ze iets wist. Ze haat mij. Ze zou liever de schuld in mijn schoenen schuiven. Als het even kon zou ze dat doen.'

'Je kunt het proberen. Ze moet hier nog ergens zijn. Tenminste, als zij het was die op die hoek stond.'

'Ze is allang verdwenen. Ik weet niet hoe ze het doet, maar ik heb het al vaker meegemaakt. Dan zag ik haar staan, rende naar haar toe en dan was ze nergens meer te bekennen.'

'Ze verdween?'

'Zoiets, ja. Ik denk dat ze iemand hier op Dierdonk kent. Iemand die haar onderdak biedt. Het kan niet anders.'

'Dat zou kunnen. In dat geval maakt die persoon zich medeplichtig. Haar getuigenis kan belangrijk zijn.'

'Misschien is het iemand van de sekte. Het zal hem geen donder interesseren of hij ergens medeplichtig aan is. Niet als hij bij die troep hoort.'

'Wat is het voor een sekte?'

'Een zwak excuus om rotzooi te kunnen schoppen.'

'Denk je?' Ze daagde hem uit.

'Zo is het toch? Ze rommelen met elkaar aan, mishandelen en verkrachten kinderen en doden dieren. Kwade geesten uitdrijven noemen ze het. Allemaal onzin. Ze willen gewoon hun gang gaan.'

'Is dat zo?'

Chris knikte. 'Er is geen bewijs voor, maar ik weet wat ik hier heb gezien. Ik heb dingen gehoord... Ze zijn gevaarlijk.'

'Kunnen zij Renée hebben?'

'Natuurlijk kan dat. Alles kan. Mijn god, ik weet het ook niet. Maar ze leeft niet meer. Ongeacht wie erachter zit... Ze leeft niet meer. Ik voel het.' Hij stond op en liep naar het raam. Terwijl hij sprak keek hij naar buiten. 'Het is alleen... je blijft onzeker. Zolang ze niet gevonden wordt, blijf je twijfelen. Tegen beter weten in.'

Dood.

Julia wierp Meggie een korte blik toe. Het meisje hield haar hoofd vast.

'Ze heeft hoofdpijn,' merkte Chris op. Hij had zich weer omgedraaid en keek naar zijn dochter. 'Dat heeft ze vaak. Pijnstillers helpen niet. Misschien gaat het dadelijk over en misschien wordt het erger.'

'Migraine?'

'Zoiets, geloof ik.' Chris keek naar Julia. 'Je hebt aparte ogen. Dat felle blauw. Dat zie je niet zo vaak.'

'Dat heb ik meer gehoord.'

'Dat neem ik aan. Het wordt vast vaak als versiertruc gebruikt, maar jouw ogen zijn echt anders.'

'Ja.'

Meggie begon te huilen. Zachte felle kreetjes. Haar handen grepen krampachtig haar haren vast.

'Het wordt erger,' zei Chris. Hij liep naar het meisje toe. Als vanzelf klampte Meggie zich aan Chris vast.

'Ik moet haar naar boven brengen.'

Julia knikte. 'Ik ga.'

'Ja.'

'Heb je het adres van Martin?'

'Hij woont in de binnenstad. Misschien staat het ergens...'

Chris wilde teruglopen. Meggie schudde met haar hoofd. Haar handen klauwden in haar haren.

'Laat maar. Bel het maar door.'

'Doe ik.'

Julia hoorde de doordringende kreetjes van Meggie nog toen ze naar buiten liep. Ze probeerde zich daarvoor af te sluiten, maar haar maag kneep samen. Het klonk anders dan een kind met pijn. Heel anders.

Ze stapte in de Jeep en reed rustig de straat uit. Ze keek nog of ze iemand zag. Iemand met een lange jas aan, bijvoorbeeld. Ze zag niemand. Ook niet de man die haar vanuit een zijstraat gadesloeg.

Martin trok de kraag verder omhoog. Het was een gewoonte-gebaar. Echt koud had hij het niet. Hij overwoog of hij al contact met haar zou zoeken. Misschien moest hij dat wel doen. Toch twijfelde hij nog. Hij kende haar rol nog niet. Ze was journaliste, dat wist hij natuurlijk wel. Maar ze was meer dan dat... Niet vreemd natuurlijk. Knap gezicht, felle ogen die nauwelijks iemand kon ontgaan... Wist hij maar meer van haar af. Hij besloot nog even te wachten. Als hij haar moest hebben zou hij dat vanzelf wel ontdekken. Dat hoopte hij tenminste. Hij dacht nog even terug aan Renée. Renée en Evelin. Vroeg of laat zou Chris toegeven. Als hij de druk verder opvoerde zou Chris dat doen.

Desnoods zou hij die journaliste gebruiken.

8

Meggie lag met haar ogen open in bed. Ze had zijn stem gehoord. Ze was bang voor die stem. Ze trok de dekens verder over zich heen en wachtte af. Voetstappen klonken hol en dreigend op de trap. Het waren zijn voetstappen. Ze wist het zeker. Ze kroop verder weg onder de dekens.

'Meggie?' Hij riep haar. Ze kon niet reageren. Het was net alsof ze zich in een kelder bevond en ver daarbuiten iemand hoorde roepen. Waarschijnlijk kon hij haar niet eens aanraken. Alles was plotseling zo ver weg. Behalve dan dat vogeltje bij het raam. Raar dat het zo laat in de nacht nog tjilpte. Toen hij binnenkwam zag ze alleen dat vogeltje.

Hij kwam naast haar op het bed zitten. Ze rook de vreemde geur van tabak en alcohol. Misschien ook nog iets anders. Nat zand? Toch kon hij niet echt aan haar komen. Niet aan haar binnenste. Dat geloofde ze niet. Het vogeltje wel. Dat was dichtbij.

Hij drukte zich tegen haar aan. Dat grote, transpirerende lichaam. Ze voelde zijn ademhaling in haar nek. Haar lichaam deed ergens pijn. Ze wist niet precies waar, want ze ging eruit. De hele kamer rook naar hem. Waarom kwam papa niet terug? Ze zweefde naar het vogeltje bij het raam. Vaag op de achtergrond voelde ze het zware lichaam tegen dat van haar aandrukken. Die rare beweging. Hij zei dat hij van haar hield. Vreemd was dat. Waar was papa nu?

Krampachtig concentreerde ze zich op het zingende vogeltje. Het verdween plotseling. Om haar heen was alleen nog duisternis. Even maar. Toen zag ze de blonde vrouw. De blonde vrouw rende over het zandpad bij de berg. Ze zag hoe ze steeds opnieuw viel. Een beetje verwonderd keek ze naar de witte blouse die langzaam grauw leek te worden. Naar dat dunne rokje waarmee de vrouw niet kon rennen. Maar ja, ze droeg ook altijd zulke stomme kleren. Deftige kleren waar je niet in kon bewegen.

Meggie wist dat ze de vrouw kende, maar ze wist niet meer waarvan. Ze zag nu dat de vrouw gilde. Daar zou ze niet veel aan hebben. Ze kon niet aan haar lot ontkomen. Noemden ze dat niet altijd zo? Het lot?

Plotseling zag Meggie ook het bloed. Het was er opeens. Op het hoofd van de vrouw en op die witte blouse. Ze was dood. Ze werd begraven onder het zand. Meggie zag haar gezicht verdwijnen. Ze gilde. Haar eigen hoofd deed pijn. Steeds meer. Ze greep haar hoofd vast en gilde.

Ergens op de achtergrond riep iemand haar naam. Het duurde een paar tellen voordat het bos om haar heen vervaagde en ze de meubels van haar eigen slaapkamer herkende. De duisternis was weg. Een straatlantaarn scheen door haar dunne gordijnen heen haar kamer binnen en verlichtte de vrolijke posters en de poppen in de hoek. Alleen maar een droom.

Haar hoofd deed nog steeds pijn, maar de vrouw was weg. Ze wist wel wie die vrouw was. Hij was ook weg.

Papa was er weer. Hij was terug. Hij zat bij haar op bed, pakte haar vast en drukte haar tegen zich aan. Ze voelde de warmte van zijn lichaam en snoof de geur van zijn shirt op. Het rook naar zeep. Ze bleef tegen hem aan zitten, in die besloten warmte van zijn lichaam.

Hij zat naast haar en streelde haar haren. 'Meggie, Meggie, toch,' murmelde hij. 'Stil maar, het is allemaal voorbij. Niets aan de hand. Het was maar een droom. Een nare droom. Alles komt goed,' mompelde haar vader.

Meggie gaf geen antwoord. Haar lichaam was slap en koud van binnen.

Haar vader drukte haar steviger tegen zich aan en kuste haar hoofd.

Meggie werd nog kouder vanbinnen.

Haar hoofd bonkte. Iets anders was er niet meer.

Julia lag in bed. Ze droomde niet. Alles was gewoon zwart. Ze schrok toen de telefoon overging. Ze pakte hem niet meteen op. Een paar tellen wachtte ze en luisterde ze naar de penetrante beltonen. Toen ze eindelijk overeind kwam, zag ze dat het vier uur in de ochtend was.

'Welke idioot belt op dit tijdstip?' kreunde ze. Toch nam ze de hoorn op en zei ze haar naam.

Eerst hoorde ze helemaal niets. Geïrriteerd noemde ze opnieuw haar naam. Als dit een grap was...

'Waar droom je over?' vroeg een man aan de andere kant van de lijn.

'Wat?' Julia ging langzaam recht zitten.

'Waar droom je over?'

'Wat is dit?'

Ze hoorde de zachte klik waarmee werd opgelegd. Verbijsterd bleef ze zitten. Ze voelde een lichte maagkramp. Het was een grap. Een flauwe grap, hield ze zichzelf voor. Het lukte niet helemaal om zichzelf te overtuigen. Gespannen bleef ze rechtop zitten. Het had een half uur kunnen zijn, maar waarschijnlijk was het korter. Er gebeurde helemaal niets meer. Geen telefoon. Geen geluid in haar huis. Helemaal niets.

Toen ze uiteindelijk weer ging liggen en haar ogen sloot om te slapen, merkte ze dat ze te onrustig was. Ze negeerde de vervelende herinneringen die door de stilte en duisternis op gang werden gebracht en concentreerde zich krampachtig op andere dingen. Glinsterende meren. Onder de oppervlakte waren ze zwart, maar daar wilde ze nu niet aan denken. Bossen, vogels... Het lichte gevoel in haar hoofd negeerde ze ook. Geen angst nu. Het was niets. Helemaal niets. Een grap. Toch geloofde ze niet dat ze nog kon slapen. Ze zou wakker blijven totdat het eerste licht weer zichtbaar werd. Ze zou wakker blijven en luisteren naar ieder geluid in huis. Gespannen met steeds dat lichte gevoel in haar hoofd, alsof het haar voortdurend bedreigde. Ze vergistte zich. Uiteindelijk lukte het toch. Uiteindelijk zakte ze opnieuw weg in de duisternis die haar omhulde en waar ze dankbaar voor was.

Het was zeven uur toen ze weer wakker werd.

Hoewel ze niet meer over het telefoontje wilde nadenken kon ze het ook niet vergeten. Hoe graag ze ook wilde geloven dat het niets te betekenen had, ze bleef eraan denken. Aan die lijzige stem. Het was noch een kind, noch een verveelde puber geweest.

Niet aan denken, nu.

Het had niets te betekenen.

Behalve dan de mogelijkheid dat iemand haar nu volgde.

Iemand die eerder Renée had gevolgd. En Jolien. Leefde Jolien nog?

De vraag kwam zo plotseling bij haar op dat ze ervan schrok. Onzin. Een pesttelefoontje.

En die man op Dierdonk? Als het een man was. Bijvoorbeeld de man die haar had gebeld.

Maar waarom?

Ze concentreerde zich op het gesprek dat ze gisteren met Chris had gevoerd. Was er iets wat er was gezegd…iets wat haar kon waarschuwen? Terwijl ze haar dagelijkse routine van douchen en koffiezetten als een automaat afwerkte, dacht ze aan Chris en Meggie. Vooral een ding bleef hangen.

Er is heel veel zand. Niemand kan haar zien. Ze kan niet roepen, want ze is dood.

Ze wist niet waarom ze steeds aan die zin dacht.

Grote bergen zand

De zandbergen!

Het kwam plotseling bij haar op. De zandbergen bij het ven. Ze had die wel gezien toen ze daar met Chris was geweest, maar er verder niet bij nagedacht. Grote bergen los zand. Het kon nooit moeilijk zijn om daarin te graven.

Maar de politie had daar ook gezocht. Met honden, nam ze aan. Die hadden haar dan moeten vinden. Tenzij ze later pas was begraven…

Ze zit gevangen.

Julia kneep in haar koffiemok. Het was mogelijk.

Idioot, dacht iets binnen in haar. Het meisje zegt maar wat. Ze ziet niets. Het kan niet.

Ze nam gehaast een slok.

Kinderen zien soms dingen. Had ze dat niet ergens gelezen? Helderziendheid bij kinderen? Chris had dat ook genoemd. En Jolien.

Ze zette de mok met een klap op tafel en rende naar beneden. Ze klopte niet toen ze de woning van Ian binnenstormde. Ze klopte nooit.

'Ian. Ian, luister…' riep ze.

Een roodharig meisje schoot rechtop en keek Julia verschrikt aan. 'Ian, verdorie, je hebt niet gezegd…'

Ian kwam traag overeind, keek eerst naar Julia en toen naar het meisje. 'Dat is Julia, mijn collega. Ze woont boven en komt op de meest ongelegen momenten als een olifant de kamer binnengestormd. Julia, dit is Amelia.'

Julia glimlachte ongeduldig naar het roodharige meisje.

'Ik dacht dat je zijn vriendin was of zo,' liet Amelia weten. Ze ontspande zichtbaar.

Julia lette niet op haar. 'Ian, heb jij niet een vriend bij de politie met een lijkenhond?'

'Nou ja, een vriend… Ik ben een paar keer met hem mee geweest. Hij zat bij het KLP. Die houden zich uitsluitend bezig met het opsporen van lijken. Geen gewoon politiewerk. Hij is overigens gepensioneerd.'

'Gepensioneerd? Verdomme,… Hij heeft zijn hond zeker niet meer?'

'Of hij zijn lijkenhond nog heeft weet ik niet. Hij heeft een

aantal honden. Hij traint ze nog als hobby.'
'Ook lijkenhonden?'
'Wat moet je in godsnaam met een lijkenhond op dit tijdstip?'
Julia keek vluchtig naar Amelia. 'Het heeft met Renée te maken.'
'Ah.'
'Kunnen we naar hem toegaan?'
'Naar Bram? Als hij verstand heeft slaapt hij nog. Het kan zeker niet wachten?'
'Nee.'
'Daar was ik al bang voor.' Hij kwam kreunend overeind en kleedde zich aan. Het meisje keek enigszins verbaasd toe. 'Het spijt me, schat. Werk.'
'Zal ik ook gaan?' vroeg ze.
'Je mag rustig blijven. Ik weet niet wanneer ik terug ben. Als ik met haar op pad ga, weet ik dat nooit. Maar ik vind het leuk als je er bent.'
'Ik moet nog naar het bureau.'
'Kijk maar wat je doet. Anders bel je mij maar.'
Hij kleedde zich verder aan en pakte zijn fotoapparatuur. 'Ik zal dit maar meenemen. Met jou weet ik nooit waar ik terechtkom. Er zal wel weer van alles gebeuren.'
Julia liep voor hem uit naar buiten. 'Rij jij of rij ik?'
'Ik rij,' liet Ian weten. Hij ging achter het stuur zitten en wilde de auto starten, toen hij de foto tussen de ruitenwisser zag zitten. 'Wat is dat?'
Julia zag het ook. Ze had net willen instappen toen het haar was opgevallen. Ze gaf geen antwoord op de vraag van Ian en pakte de foto tussen de ruitenwisser uit. Het was een foto van haarzelf. Hij was gisteren gemaakt op Dierdonk.
Ze bekeek de foto van alle kanten. Er stond helemaal niets op.
'Laat kijken,' zei Ian. 'Wie heeft die foto gemaakt?'
'Weet ik niet.'
'Wat betekent dit?'

'Geen idee.' Ze dacht aan het telefoontje van afgelopen nacht en kreeg een bittere smaak in haar mond. 'Laten we naar Bram gaan.'

'Misschien moet je mij maar eens het een en ander vertellen,' zei Ian. Hij startte de auto. 'Ik wil het hele verhaal weten voordat ik bij Bram ben, anders draai ik me alsnog om.'

'Ik denk dat ze in het Grotelse bos is begraven. In het zand vlakbij het ven,' begon Julia. 'Daarom heb ik de hond nodig.'

'Ik luister.'

Julia begon te vertellen.

Jolien liep gejaagd de kapperszaak binnen. Ze was erg vroeg, maar dat maakte niet veel uit. Meestal maakte het niet veel uit. Alleen nu voelde ze zich niet comfortabel. Het was zo vreselijk stil in de straat. Geen mensen. Helemaal niets. Schichtig keek ze door de ruit naar buiten terwijl ze een sigaret opstak. Ze wist bijna zeker dat iemand haar had gevolgd. Gezien had ze hem niet, maar hij was er wel. In elk geval had ze steeds die ogen in haar rug gevoeld. Net als gisteravond, in haar eigen appartement. Waarschijnlijk wist hij alles over haar.

Haastig liep ze naar de toonbank en graaide een kleine fles uit een van de laden. Haar handen trilden toen ze een slok nam. Het was niet goed om overdag te drinken, maar ze kon niet anders. Zonder de drank bleef ze over haar schouder kijken.

Ze voelde zich als een opgejaagd dier. Angstig en wetend dat het einde heel dichtbij was. Zo dichtbij dat je het bijna kon aanraken. Ze nam een nieuwe slok.

'Ik geloof niet in helderziendheid,' zei Ian. 'Maar misschien vergis ik me. Misschien ziet ze werkelijk dingen.'

'Het komt voor.'

'Weet ik. Ik heb er een artikel over gelezen. Gisteren.'

'Je geloofde er toch niet in?'

'Nee. Maar toch, na alles wat jij hebt verteld. En die opmerking van Jolien... ik dacht dat het geen kwaad kon.'

'En?'

'Er is nogal veel over te vinden. In grote lijnen komt het erop neer dat kinderen gevoelig zijn voor dit soort dingen. Volgens dit artikel dan. Dat ze dingen zien die wij niet zien.' Hij probeerde zo nonchalant mogelijk te klinken. 'Ik heb daarover met een hoogleraar gesproken. Een kennis van Ernst. Hij zei dat het mogelijk was. Dat zulke dingen voorkomen.'

'Het zou dus werkelijk zo kunnen zijn.'

'Als het niet zo is...'

'Heeft ze iets gezien,' vulde Julia aan. 'Ik heb het trouwens ook met Chris over Nicholas gehad.'

'Nicholas is zijn broer,' zei Ian.

'Je weet het al?'

'Ik heb mijn huiswerk gedaan.'

'Wat weet je van Nicholas?'

'Ik zou hem niet als vriend willen hebben. En niet als vijand. Het is geen prettige kerel.'

'Zoiets zei Chris ook.'

'Chris heeft gelijk. Mensen uit Chris zijn jeugd kennen Nicholas. Een gemeen kind, noemden ze hem. Gaf om niemand iets. Toonde geen emoties. Een lerares meende dat hij aan Borderline leed. Volkomen ontspoord. Chris scheen tegen hem op te kijken, maar was ook bang voor hem. Toen Nicholas op zijn veertiende het huis verliet, werd Chris een stuk rustiger. Naar het schijnt hield hij contact met Nicholas, maar vooral omdat Nicholas dat wilde. Het contact was wisselend van aard omdat Nicholas veel in het buitenland zat. Hij had nooit een vaste verblijfplaats, maar verdiende goed. Ik geloof niet dat iemand weet wat hij deed, maar naar het schijnt is hij de laatste keer in een nieuwe Mercedes gezien. Geen doorsnee zwerver dus. Waarschijnlijk gevaarlijk.'

'Kan hij in het land zijn?'

'Dat kan. Niemand weet het.'

'Strafblad?'

Ian knikte. 'Een hele lijst. Er lopen ook nog wat beschuldigingen, maar ze kunnen hem niet meer vinden.'

'Welke beschuldigingen?'

'Mishandeling van twee vrouwen en enkele hoertjes, oplichting, diefstal, kindermisbruik.'

'Bewezen?'

'Natuurlijk niet. Getuigen spreken elkaar tegen en hijzelf is onvindbaar.'

'Ook in het illegale circuit?'

'Dat weet je nooit zeker. Bij prostituees was hij wel bekend omdat hij een vaste klant was. Bezocht ook peepshows en zo. Jarenlang. Dat hij hoertjes mishandelde was al net zo lang bekend, alleen werd er niets tegen gedaan. Hij gaf de pooiers een schadevergoeding waar ze mee vooruit konden.'

'Ik dacht dat pooiers zoiets niet pikten.'

'Niet allemaal, maar sommigen laat het volkomen koud. Als ze maar verdienen. En dat deden ze. Zie je, Nicholas kickte op het vernederen van vrouwen. Hij deed hen pijn. Hij kickte op hun angst en was bereid daar dik voor te betalen. Die pooiers wisten dat en verdienden daar goed aan. Tenslotte had hij nooit iemand vermoord of blijvend beschadigd. Zo ver ging hij niet. Toen niet.'

'En de kinderen?'

'Hij is bekend in het circuit van kinderporno, maar niemand laat daar iets los.'

'Klootzakken.'

'Ja.' Hij remde af en stopte voor een opgeknapte boerderij. 'We zijn er.'

Julia en Ian vonden Bram bij de hondenrennen. Hij deed Julia aan een tuinkabouter denken. Veel haren op zijn gezicht en

zijn hoofd, rode wangen en een ronde buik. Alleen de punt-
muts ontbrak.

Bram hoorde hen niet eens aankomen. De honden wachtten
ongeduldig blaffend op hun voer en besteedden nauwelijks
aandacht aan de nieuwkomers.

Bram zag hen pas toen ze naast hem stonden. Hij schrok niet.
Hij was hooguit verbaasd

'Ian Allister?' Hij keek vluchtig naar Julia. Een beetje nieuwsgierig.

'Bram... lang niet gezien. Heb je even tijd?'

'Ik moet eerst de honden voeren. Ze gaan over de rooie als
ze lang moeten wachten.'

'Ik wacht wel.'

'Maar niet te lang,' mompelde Julia.

Bram reageerde daar niet op. Hij draaide zich om en ging verder met zijn werk. Er waren zes honden. Twee Duitse herders,
twee Mechelse herders, een bouvier en een onooglijke bastaard.
Ze keken niet naar Julia en Ian. Alleen naar het voer. Bram
sprak op gedempte toon tegen de dieren toen hij de ren binnenliep. Iedere ren had een deurtje naar een centraal gebouw. Het
zag er goedverzorgd uit. Net als de tuin met zijn keurig recht
gazonnetje, vierkanten borders met grotendeels uitgebloeide
planten en hoge siergrassen die verloren hoekjes opvulden.

Lang duurde het niet. Bram haastte zich niet, maar langer dan
tien minuten had hij niet nodig.

'Vertel het maar,' zei Bram, toen hij weer bij Ian en Julia stond.
'Ik verwacht niet dat dit een gezelligheidsbezoek is.'

'We hebben je hulp nodig.'

'Mijn hulp of die van de honden?'

'Allebei.'

'Waarom?'

'Om iemand te zoeken.'

'Dood of levend?' Hij vroeg het met een nuchtere ondertoon,
alsof hij het over een wasmiddel had.

'Dood, denk ik. Ik weet het niet. Je kunt het beter aan Julia vragen.'

'Ah, de knappe dame. Jouw vriendin?'

'Een vriendin. Geen relatie.'

'Nee, daar ben je niet zo goed in, geloof ik?' Hij grijnsde.

'Nee. Daarvoor is het leven te kort en zijn er te veel vrouwen.'

'Misschien. Een goede is anders ook niet weg, maar goed, ik ben geen moraalridder.'

Hij wendde zich tot Julia en keek haar afwachtend aan.

'Er wordt een vrouw vermist. Door een paar dingen die ik heb gehoord denk ik dat ze begraven zou kunnen zijn in het bos waar ze is verdwenen. Er zijn daar bergen met zand. Ik geloof dat ze daar begraven is.'

'Ze is op die plek verdwenen?' Hij keek haar met samengeknepen ogen aan.

Julia knikte.

'Heeft de recherche daar niet gezocht?'

'Ja.'

'Denk je dan niet dat ze haar gevonden zouden hebben als ze daar begraven was? De recherche zet ook honden in. Goede honden.'

'Ik denk dat ze er pas later is begraven.'

'Waarom ga je er niet mee naar de recherche?'

'Omdat ik me kan vergissen. Ik baseer mijn vermoeden op de uitspraken van een autistisch meisje. Een meisje dat verder met niemand praat.'

'Maar wel met jou?' Ze hoorde de onderzoekende ondertoon in zijn stem.

'Ook niet met mij.'

'Hoe kan ze dat dan tegen jou hebben gezegd?'

'Ze zei het niet tegen mij. Ze maakte willekeurige opmerkingen.'

'En aan de hand daarvan verwacht je die vrouw daar tussen

het zand aan te treffen.'Het was een constatering. Niet meer en niet minder.

'Misschien. Ik kan fout zitten. Ik hoop dat ik fout zit en dat de vrouw nog leeft. Maar ik wil het toch nagaan.'

'Met mijn hond.'

'Als dat zou kunnen.'

'En dat zal wel nu meteen moeten.' Hij zuchtte.

'Ja.'

Bram streek door zijn ruige baard en keek Julia en Ian een voor een aan. Een sympathieke kerel, dacht Julia, al zou hij dat niet meteen laten merken.

'Ik kan me heel goed vergissen,' zei ze.

'Daar ben ik dan voor in de AOW gegaan,' mompelde hij. 'Ik ga wel mee. Ik moet eerst aan de vrouw vragen of ze de honden straks op het speelterrein laat. Daarna ga ik mee.'

'Tof van je,' zei Ian.

'Ik bel je wel als ik je nodig heb.' Er verscheen een kabouterachtige grijns op zijn gezicht. Zijn ogen twinkelden een beetje. Heel even dacht Julia dat hij zou gaan zingen.

Hij liep echter gewoon naar binnen en bleef enkele minuten weg.

'Welke hond zal hij meenemen?' vroeg Julia zich hardop af. 'Een van de herders?'

'Die lelijkerd,' antwoordde Ian.

'Waarom denk je dat?' Julia keek naar het nauwelijks vijftig centimeter hoge grauwe hondje met ruwe haren. Hij zag er een beetje uit alsof hij was ontploft. Zijn oren waren nauwelijks zichtbaar en wezen naar de zijkanten. Een oog had een vreemde blauwe kleur. 'Dat is toch geen speurhond? Volgens mij is hij zelfs blind.'

'Let op mijn woorden. Hij pakt die lelijkerd.'

Ian was nauwelijks uitgesproken toen Bram weer naar buiten kwam. Hij had een windjack aangetrokken en droeg een riem. Julia zag dat hij regelrecht naar het hok van het onooglijke hondje liep. Het beestje was nog niet klaar met eten, maar reageerde opgewonden toen het de riem zag.

'Neem je die mee?' vroeg Julia verbijsterd.

Bram knikte. 'Dit is onze Gijs.'

'Is hij niet blind?'

'Aan een oog stekenblind, maar hij is verdomd goed. Hij is getraind in het vinden van lijken. Als hij geen lijk vindt, is er geen lijk.' Hij grijnsde weer. 'Zou je zo niet zeggen, nietwaar?' Julia glimlachte. 'Nee, niet echt.'

'Geloof het maar. Hij heeft er al heel wat gevonden. Eigenlijk is hij met pensioen. Hij is al veertien en eerlijk gezegd stond ook niemand erom te springen om met hem te werken. Met anderen is hij nogal dwars. Met mij niet. Ik denk dat een uitje hem goed zal doen.'

Hij aaide het dier over zijn weerbarstig behaarde kop en deed zijn riem om. 'Kom maar Gijs. Werk aan de winkel.'

Toen ze ruim een uur later bij het Grotelse Bos waren aangekomen, regende het. Geen hevige buien, maar motregen die overal in en tussen kroop.

Julia huiverde toen ze uit de warme auto stapte. Ian trok zijn jas dicht, maar Bram leek niets te merken. Met zijn rubberlaarzen slofte hij naar de achterkant van de Jeep en liet Gijs eruit. Gijs sprong opgewonden om hem heen en kwispelde.

'Volgens mij denkt hij dat we gewoon gaan wandelen,' zei Julia mistroostig. Ze kon zich niet voorstellen dat dit vrolijke hondje serieus een lijk moest zoeken. Als het er al was.

Bram keek Julia met opgetrokken wenkbrauwen aan. 'Ik geloof dat je er niet veel van begrijpt, is het niet?'

'Hoe bedoel je?'

'Voor Gijs is dit gewoon een spel. Hij vindt het leuk. We mogen dan wel een lijk zoeken, maar Gijsje ziet dat anders. Het is een hond. Hij wordt niet sentimenteel bij het vinden van doden. Hij is erin getraind en geniet ervan. Daarom is hij goed.'

'Ieder zijn baan,' mompelde Julia.

Het drietal liep met de hond in de richting van de zandheuvels. Het begon wat harder te regenen en de kou drong door de jassen heen.

'Vochtig weertje,' merkte Bram opgewekt op. Julia had het gevoel dat het uitstapje, zoals Bram het noemde, niet alleen Gijs goeddeed.

Met samengeknepen ogen keek Bram naar de zandheuvels. 'Dus je denkt dat ze zich daar moet bevinden?'

'Misschien.'

'Je kunt er gemakkelijk iemand begraven,' merkte Bram luchtig op.

'Het doet je niet veel, is het wel?' merkte Julia op.

'Ik heb dit werk lang genoeg gedaan. Je went niet aan de doden, maar je maakt je ook niet druk als dat nog niet nodig is. Niet zolang er niemand is gevonden.'

'Waar beginnen we?' vroeg Ian. Ze waren de zandheuvels nu dicht genoeg genaderd.

'Meteen hier,' liet Bram weten. 'We weten tenslotte niet precies waar we moeten zoeken, nietwaar?' Hij grijnsde weer en stuurde Gijsje weg.

Verbijsterd keek Julia toe hoe het aanvankelijk vrolijke hondje als een bezetene met de neus over de grond begon te zigzaggen. Alleen aan zijn zwiepende staartje was zijn blije humeur te herkennen. Bram volgde langzaam. Zijn ogen waren strak op de bodem gericht. Hij leek niets anders meer te zien. Zelfs de opstekende wind leek hij niet op te merken. Af en toe hurkte hij en bekeek hij de bodem.

Ian haalde zijn fototoestel tevoorschijn en begon te knippen.

'Je weet niet of hij iets vindt,' zei Julia.

'Nee.' Ian knipte door.

Julia voelde hoe het water door haar schoenen drong en haar voeten afkoelde. Haar jas was doorweekt en de regen zocht zijn weg door de rest van haar kleding. Haar donkere haren plakten aan haar gezicht. Terwijl ze naar de rondrennende Gijs keek vroeg ze zich af wat ze hier deed. Vrij plotseling meende ze dat ze iemand zag staan. Een tel slechts, in het bos links van haar. Ze liep een klein stukje die kant uit, terwijl ze naar de bomen staarde. Zag ze iemand staan, of waren het slechts schaduwen van stammen en struiken? Ze liep nog een stukje die kant uit. Bewoog daar iets?

Hij schoof een stuk achteruit. Ze hoefde hem niet te zien. Er was ook geen reden meer om te blijven. Hij had meer dan genoeg gezien. Het was hem niet helemaal duidelijk hoe ze op het idee was gekomen, maar het beviel hem niet. Hij zou er iets aan moeten doen.

Opeens begon Gijs opgewonden te blaffen en te janken. Met een ruk draaide Julia zich om en keek naar de hond. Het beestje stond tegen de zijkant van de achterste zandheuvel, maakte kabaal en groef opgewonden in het zand.
'Hij heeft iets gevonden,' schreeuwde Bram.
Julia en Ian renden naar het hondje toe. 'We moeten graven,' zei Julia.
'Als je het maar laat,' waarschuwde Bram.
Hij ging naast zijn hond op de hurken zitten en bekeek de bodem. 'Los zand,' mompelde hij.
'De hele berg bestaat uit los zand,' zei Julia.
'Niet als dit. Dit is pas omgewoeld.' Hij stak zijn hand in het zand en liet het door zijn vingers glijden. 'De onderkant is vochtig.'
'Het regent.'
Bram reageerde niet. Hij zette een paar passen achteruit en pakte opnieuw een handvol zand vast. Hij keek ernaar en liet het weer vallen. 'Het heeft nog niet erg hard geregend. De onderkant is hier droog.'
Hij ging recht staan, pakte zijn mobiele telefoon en toetste

een nummer in dat hij blijkbaar uit zijn hoofd kende.

'Bram hier, geef effe Siem.'

Bram wachtte en keek naar zijn hond. Het beestje jankte nu zacht en keek naar zijn baas alsof het een commando verwachtte.

'Bram. Ik zit met Gijs in het Grotelse Bos. Twee journalisten vroegen mij hier te zoeken in verband met die verdwijning van Silver. Ik leg het later wel uit. Ik denk dat Gijs d'r heeft gevonden. Wie behandelt die zaak?'

Hij luisterde even.

'Dus jij leidt het hele spul. Dat dacht ik al. En welk duo moet ik…' Hij werd blijkbaar onderbroken en wachtte.

'Jorg en Dré? Dré ken ik niet. Doet er niet toe. Waarschuw jij ze?'

Hij luisterde nog even, groette kort en verbrak de verbinding.

'De recherche komt eraan. Wij moeten overal vanaf blijven. Als dat juffrouwtje hier werkelijk ligt, verpesten we de sporen met het opgraven. Afblijven dus.'

'En als ze hier niet ligt?' vroeg Julia.

'Dan ligt hier iemand anders.'

Julia rilde en keek om zich heen.

'Heb je hem ook gezien?' vroeg Bram.

'Wie?'

'Die figuur. Hij stond naar ons te kijken.'

'Heb je hem ook gezien?' vroeg Julia verbaasd.

'Allicht.'

'Ik dacht dat ik me vergistte.'

'Je vergistte je niet.' Hij keek rond en spuugde op de grond.

'Waar hebben jullie het over?' vroeg Ian.

'Waarom stuur je er de hond niet op af?' vroeg Julia, Ians vraag negerend.

'Gijsje? En dan? Gijsje is getraind op het vinden van lijken. Hij zal levende mensen wellicht ook kunnen vinden, maar wat moet hij dan doen? Hem doodlikken?'

'Ik dacht dat Gijsje een politiehond was,' zei Julia.

'Een speurhond. Ieder zijn vak.'

'Mag ik weten waar jullie het over hebben?' drong Ian aan. Hij trok zijn jas verder dicht.

'Iemand had verdomd veel interesse voor wat we hier deden,' liet Bram weten. Hij spuugde opnieuw op de grond en keek weer om zich heen.

'Is hij er nog?'

Bram schudde zijn hoofd. 'Ik zie hem niet meer en ik betwijfel ook heel sterk of hij zal blijven tot de politie er is.'

'Was het een man?' vroeg Julia. Ze keek Bram onderzoekend aan.

'Geen ree in elk geval.'

'Ik bedoel... kan het ook een vrouw zijn geweest?'

'Of het een vrouw geweest kan zijn?' Bram staarde een paar tellen voor zich uit en krabde aan zijn baard. 'Ik denk het wel. Zo goed heb ik hem niet gezien. Of haar. Waarom? Weet je wie het geweest kan zijn?'

'Misschien.'

'Leg het dadelijk maar uit.'

Bijna een half uur wachtten ze. Julia was inmiddels door en door koud en had de politie al meerdere malen verwenst. Ian liep rond en maakte af en toe foto's. Hij bleef weg bij de plek waar Gijsje alarm had geslagen. Niet omdat hij dat wilde, maar omdat Bram daarop stond. Bram bleef bij zijn hond. Het beest was ondertussen op de plek gaan liggen en wachtte alert op een volgend commando.

Toen de eerste mensen van de recherche ter plekke waren, verschenen al snel steeds meer mensen. Een ruim gebied rondom de zandbergen werd afgezet en mannen van de technische recherche bekeken iedere centimeter grond vanaf de buitenkant van de cirkel tot aan de plek waar Gijs Bram had gealarmeerd. Felle flitslichten verlichtten de omgeving.

Dadelijk ligt er helemaal niets, schoot door Julia heen. Ze wist dat de hond de plek had aangegeven, maar kon zo'n dier zich niet ook vergissen? Nu was het hier bijna vergeven van de politiemensen en de kans zat erin dat ze hier voor niets waren. Bram werd erbij geroepen en wees iets aan. Drie mannen begonnen te graven. Gijsje dribbelde ongeduldig om de mannen heen en blafte af en toe kort, alsof hij aanwijzingen gaf.

Het duurde een tijdje en Julia wist nu vrijwel zeker dat ze niets zouden vinden. Het leek plotseling allemaal zo absurd. Hoe had ze die opmerkingen van dat kind zo serieus kunnen nemen? Ze was niet helderziende. Allemaal onzin. Autistisch. Niet in staat een grens te trekken tussen fantasie en werkelijkheid. Alleen dat.

'Ze hebben iets gevonden,' zei Ian plotseling.

'Wat?' Julia realiseerde zich niet meteen wat dit betekende. Ze probeerde nog steeds haar logisch verstand te gebruiken. Meggie had maar iets gezegd.

Ze keek naar de plek waar de mannen hadden gegraven. Plotseling stond bijna iedereen daar. Ze praatten druk met elkaar.

'Jezus,' mompelde Julia. Tussen de gestalten door zag ze hoe iemand omhoog werd gehaald. Vaag herkende ze een blouse die ooit wit was geweest en de blonde haren.

De vrouw werd neergelegd en politiefotografen maakte foto's.

Ian liep erheen, maar een forse kerel met een druipnatte hoed hield hem tegen.

'Nu niet,' zei hij alleen maar.

Julia bleef staan waar ze stond. De regen drupte via haar haren in haar nek en rolde over haar rug. Ze voelde de kou niet meer. Ze wachtte alleen maar.

Uiteindelijk kwam Bram naar haar toe. Zijn gezicht was ernstig. 'Ze is gevonden,' zei hij.

'Renée Silver?'

Bram knikte.

'Waarom niet de eerste keer?'

'Waarschijnlijk is ze nog niet lang dood. De arts van de GGD is opgeroepen. Hij kan elk ogenblik hier zijn. Er is ook een patholoog onderweg en een entomoloog. Op dit moment wordt de temperatuur van het lichaam en de buitentemperatuur opgenomen door de schouw.'

'Dus ze leefde nog toen...'

'Mogelijk. Straks weten we meer. Jorg Gorissen komt zo meteen naar je toe.' Bram keek om. 'Daar is hij.' Met een hoofdknik wees hij op een lange, magere man met een gevouwen gezicht en zware, doorlopende wenkbrauwen, die naar hen toe liep. 'Hij wil je spreken.'

Julia knikte slechts.

Jorg liep rechtstreeks naar haar toe en gaf haar een stevige hand. Zijn donkere ogen taxeerden haar. 'Jorg Gorissen, recherche. Ik wil je graag spreken.' Hij wendde zich tot Ian. 'Jou ook.'

'Ja.'

'We kunnen nu meteen naar het bureau gaan. Je ziet er nogal verzopen uit.' Hij keek weer naar Julia.

'Zo voel ik mij ook. Moeten we niet op de arts wachten?'

'Nee.'

Julia knikte en volgde de rechercheur naar zijn zwarte Audi. Een kleinere, kalende man die zich voorstelde als Dré zat al achter het stuur. De kou ging niet weg toen hij de verwarming aanzette, maar dat had ze ook niet verwacht.

9

Het was laat in de middag toen Ian en Julia weer thuiskwamen. Het regende nog steeds.

'Jezus, wat is het koud,' klaagde Julia. Ze gooide haar vochtige jas in de hal neer en wreef over haar armen. 'Daar op het bureau stookten ze ook niet erg goed.'

'Koop een fatsoenlijke jas,' zei Ian. Hij hing zijn eigen waxjas op en liep naar de woonkamer.

Julia liep hem achterna. 'Waarvan?'

'Me dunkt dat je nu wel iets te schrijven hebt.'

'Ja. Ja, dat wel. Alleen...'

'Het is geen prettig verhaal,' vulde Ian aan.

'Niet echt. Jezus, als ik bedenk dat ze bijna een week was opgesloten. Opgesloten met gebonden polsen en dichtgeplakte mond. Gewond. De angst die ze gevoeld moet hebben...'

'Ze is doodgeslagen, zeggen ze.'

'Ja.'

'Waarschijnlijk heeft hij wel meer gedaan. Ik heb die kleren gezien...'

'Waarschijnlijk wel. Of we dat ooit te horen krijgen weet ik niet. Het is al heel wat dat die Jorg de eerste conclusies van het onderzoek vertelde nadat ze hem hadden gebeld. Misschien omdat ik Bram ken of zo... ik weet het niet. Meestal zijn ze niet erg spraakzaam.'

Ze zit opgesloten.

De gedachte trof Julia als een hamerslag. 'Het meisje wist het.'

'Daar ziet het wel naar uit. De politie denkt waarschijnlijk dat Chris ermee te maken heeft. Ze geloven vast niet in helderziendheid.'

'Al had Chris ermee te maken... dan nog zou zij het niet weten.'

'Dus jij gelooft er wel in?' Ian keek haar aan.

'Misschien. Weet ik niet. Ik ga douchen.'

'Doe dat.'

Julia wilde de kamer uitlopen, maar draaide zich om. 'Die Nicholas…'

'Ik vraag me af waar hij is,' zei Ian. Hij haalde zijn toestel uit de hoes en draaide een lens eraf. 'Wie hij is.'

'Wie hij is?'

'Hij kan een andere naam hebben.'

'Ja, dat kan,' zei Julia langzaam. 'Dat kan. Gezien de geschiedenis.'

'Zouden ze nog naar hem zoeken?'

'Ja. Vrijwel zeker. Ze weten van zijn bestaan. Ze weten dat hij contact zocht met Renée. Ze hebben tenslotte met Jolien gepraat. Chris wist het ook. Op het bureau zeiden ze niets. Ik heb naar hem gevraagd. Ze zeiden alleen dat ik voor hem moest uitkijken. Dat zegt genoeg. Ik hoef niet uit te kijken voor iemand die er niet is. Hij is in de buurt en wat ze over hem weten kan nooit erg goed zijn.'

'Nee. En hem oppakken zal niet zo simpel zijn.'

'Nee. Dat is ook zijn bedoeling. Geen vaste verblijfplaats. Vind hem dan maar eens.'

'Toch is het vreemd dat hij nergens wordt gezien,' meende Ian. 'Ze hebben vast al een buurtonderzoek gedaan. Je zou toch denken dat iemand hem dan zou zien.' Hij haalde het rolletje uit zijn toestel.

'Misschien wel, misschien niet. Niemand weet hoe hij er nu uit ziet. Chris heeft geen foto's. Waarom werk je trouwens nog niet met een digitale camera?'

Ian lachte en haalde zijn schouders op. 'Nostalgie?'

'Je moet met je tijd meegaan.'

'Waarom heb jij dan nog geen internet?'

'Geen geld.'

'Nee, dat heb je nooit. Ga douchen.'

'Wat denk je van die Martin?' vroeg Julia

'Een vaag figuur. Ik weet niet wat ik ervan moet denken. Er schijnt een link te bestaan tussen hem naar Chris, Evelin en Renée. Misschien zelfs met Jolien. Ik denk niet dat je naar hem toe moet gaan. In elk geval niet alleen.'

'Ik heb een afspraak met een vrouw. Andrea. Ze was een tijd bij zijn sekte.'

'Ze is eruit gestapt?' Hij klonk verbaasd.

'Ja. Niet zomaar, denk ik, want 'Andrea' is niet haar echte naam en een adres gaf ze ook niet. Ze klonk verward aan de telefoon. Bang misschien.'

'Hoe kwam je met haar in contact?'

'Via Piet. Hij kent een journalist die gespecialiseerd is in sektes'

'Heeft hij zich ook al verdiept in de sekte van Martin?'

'Niet echt. Het schijnt geen echte sekte te zijn. Niet in die betekenis. Precies weet ik het ook niet. Veel wilde hij er niet over kwijt. Hij beloofde alleen dat iemand mij zou bellen en dat is dus gebeurd.'

'Dat heb je niet verteld.'

'Dat telefoontje op het bureau.'

'Was zij dat?'

'Ja.'

'Misschien weet ze ook iets van Evelin.'

'Misschien. Niet zeker. Evelin nam waarschijnlijk ook een andere naam aan. Het is maar de vraag of ze haar dan kent. We weten trouwens niet zeker of ze daar nog is. Misschien is ze echt verdwenen.'

'Dan liegt Chris.'

'Misschien,' zei Julia nadenkend. 'Misschien liegt hij.'

Ze draaide zich om en liep naar boven. Ze dacht aan Chris. Vergistte ze zich in hem of was er nog iets. Of iemand. Ze zag de rode verf niet meteen.

Pas toen ze midden in de kamer stond viel het op. Ze staarde naar de rode letters. 'Hoer.' Meer stond er niet. Rode strepen en rode vlekken kleurden als bloedvlekken het behang.

Julia merkte dat ze trilde. Ze kon niet stoppen. Ze staarde naar de verf. Ze rook de verf. 'Hoer.'

Rode verf. Zo was het bij Renée ook begonnen. Rode verf, rondgespoten door iemand die zijn gezicht niet liet zien.

'Lafbek!' schreeuwde Julia. 'Jij verdomde lafbek! Laat je dan zien als je durft!'

Woedend liep ze door haar woning en gooide de deuren open. Er was niemand.

Buiten, in de regen, stond Martin. Hij keek naar het raam, Hij had haar horen schreeuwen. Ze had het dus gezien en was kwaad geworden. Waarom werd ze niet bang? Het maakte eigenlijk ook niets uit. Renée was wel bang geworden. Daardoor was ze bij hem terechtgekomen. Bijna had hij toen bereikt wat hij wilde bereiken. Bijna. Nu had hij een nieuwe kans. Hij had die journaliste nodig. Als Chris niet toegaf, zou hij een verdomd hoge prijs moeten betalen.

Ian had Julia gehoord. Vrijwel meteen was hij naar boven gerend. Julia liep als een razende door haar vertrekken en vloekte. Ian bleef in de kamer staan en staarde naar de rode verf.

'Julia, wat is er gebeurd?'

'Die lafbek is binnen geweest,' viel Julia uit toen ze de kamer weer binnenliep. 'Die verdomde lafbek.'

Ian keek om zich heen. 'Hij heeft alles overhoop gehaald,' merkte hij op.

'Doe niet zo belachelijk. Ik ben alleen vergeten op te ruimen.'

'Al een jaar?'

'Hou op. Kijk naar die verf. Dat krijg ik verdomme niet meer weg. Hij heeft hetzelfde bij Renée gedaan.'

'Hij of zij.'

'Ja.'

'Je kunt beter Jorg bellen.'
'Weet ik.'

Een half uur later zat Julia tegenover een donkere vrouw. Alles aan haar was donker. Haar huid had een vale, bruine tint, haar haren waren bijna zwart, net niet helemaal, en haar ogen hadden de droevige donkerbruine kleur van een bloedhond. Zelfs haar kleding was somber; donkergrijs en zwart. Grauw als de herfst die het buiten beetje voor beetje overnam.

Af en toe keek ze vluchtig naar buiten. Naar de bladeren die gejaagd over de stille weg stoven en de kale takken die onder de toenemende wind bogen.

'In dit bos is ze gevonden, nietwaar?' vroeg ze. Haar stem was hees.

'Ja. Niet hier.'

'Nee, bij het ven. Niet hier, nee.' Ze stak een sigaret op en dronk voorzichtig van haar koffie. 'Weet je dat ik hier vroeger vaak kwam?' Neerslachtig keek ze het café rond. 'Met de kinderen. Dan gingen we wandelen en daarna koffiedrinken met gebak. Meestal op zondag. Dan was het hier altijd helemaal vol. Grote Hof, noemde de kinderen het. Nooit bij de naam. Nooit Grotelse Hof. Altijd Grote Hof. Ik kreeg het hen niet bijgebracht.' Ze glimlachte bedroefd.

'Wat gebeurde er?' vroeg Julia.

Andrea zuchtte. 'Ik had wat problemen en zocht hulp. Ik dacht dat ik problemen had. Mijn god, ik had geen idee wat echte problemen waren.' Ze zuchtte opnieuw en dronk nog een keer uit haar kopje. 'Martin bood hulp aan. Eerst zag ik het niet zo zitten, maar toen kwam die stalker…'

'Stalker?'

'Een of andere vent die scheldwoorden op mijn auto schreef en vaak in de straat stond. Ik wist niet wie het was. Toen nog niet. Ik was bang en Martin beloofde dat hij mij kon helpen. Hij wist het zo te draaien dat ik mijn man ervan verdacht. Niet alleen mijn man, trouwens, maar eigenlijk iedereen in mijn buurt. Ik vertrouwde niemand meer. Hij bood mij een schuilplek aan, en mensen die mij konden beschermen. Alles wat de politie niet deed. Ik geloofde hem.' Ze lachte kort en sarcastisch. 'Ik wist niet dat hij het zelf deed.'

'Hij bespiedde je en schreef de scheldwoorden op je auto?'

Andrea knikte. 'Zo werkt hij. Hij jaagt vrouwen de stuipen op het lijf en biedt dan bescherming. Uiteraard tegen zijn voorwaarden. Een van die voorwaarden is het verbreken van alle banden. Hij weet het altijd zo te draaien dat het logisch is. Alsof juist de mensen die dichtbij je staan verantwoordelijk zijn.'

'Nog steeds?'

'Natuurlijk.'

'Welke andere voorwaarden stelt hij?'

'Geld, loyaliteit… uiteindelijk nog meer.'

Julia hoorde de hapering. Ze zag dat de vrouw herhaaldelijk uit het raam keek, alsof ze ergens bang voor was. Waarschijnlijk was dat ook zo.

'Is het werkelijk een sekte?'

'Hij noemt het zo. *De cirkel van het licht.* Onzin natuurlijk. In feite is hij een soort pooier.' Ze stokte en staarde naar haar koffie. 'Toen ik de eerste keer met hem in contact kwam stelde hij zich op als een therapeut. Woorden die hij gebruikte waren in ieder boek over zelfredzaamheid en dergelijke terug te vinden, maar dat wist ik toen niet. Ik ging een paar keer naar hem toe, maar ik voelde me er niet zo goed bij. Toen begon die ellende met die dreigingen en zo. Hij beloofde dat hij me kon helpen. Dat deed hij ook. Op zijn aanraden liet ik iedereen om me heen vallen. De terreur stopte en hij was er altijd voor mij. Daardoor dacht ik dat hij gelijk had. Natuurlijk ging het veel verder dan dat. Martin is een aantrekkelijke kerel, moet je weten, en hij weet hoe hij op vrouwen moet inpraten. Zeker als ze onzeker of bang zijn. Het klinkt nu allemaal idioot, maar toentertijd geloofde ik hem. Het was zo logisch. Misschien wilde ik het ook geloven, want mijn huwelijk was niet erg goed. Waarschijnlijk zocht ik gewoon een reden om weg te gaan en hij bood mij die aan. Ik trok bij hem in, ervan overtuigd dat ik met hem verder kon. Ik leerde andere mensen kennen. Een paar mannen, een aantal vrouwen en kinderen. Beschermelingen, noemde hij hen. Nu pas begrijp ik hoe het werkelijk zat. Nu pas begrijp ik ook waarom hij me pillen gaf. Niet voor mijn eigen bestwil, zoals hij toen zei. Het was alleen voor zijn bestwil. Zodat ik zou doen wat hij wilde.' Ze trok aan haar sigaret en keek weer naar buiten. 'Ik was naïef, maar die man kon praten. Mijn god, wat kon hij praten. Ik geloofde alles. Ik slikte zijn pillen, net als de andere vrouwen en zelfs de kinderen en hij gaf me het gevoel dat ik bijzonder was. Net zolang totdat het niets meer uitmaakte. Zolang ik maar zijn aandacht kreeg en natuurlijk die rotpillen. Alles had ik daarvoor over. Werkelijk alles.' Ze haalde diep adem en klopte haar sigaret af. Haar bewegingen waren opvallend traag. 'Een vriend heeft mij daar uiteindelijk weggesleept. Hij stelde zich voor als klant en haalde mij weg. Het was mocilijk. Ik was zelf nergens meer toe in staat. Wist niet eens waar ik mee bezig was. Ik wilde niet weg, maar hij deed het toch. Ondanks het gevaar deed hij het. Martin schijnt woedend geweest te zijn. Hij beschouwde mij als zijn eigendom. Overal heeft hij naar mijn vriend gezocht, maar hij heeft hem niet gevonden. Godzijdank niet.'

'Martin liet je dus voor hem werken?'

'Ja.'

'En de andere vrouwen?'

'Ook. Zelfs de kinderen. Ik heb alles doorgegeven, maar de kinderen waren verdwenen toen de eerste inval kwam. De meeste vrouwen ook. Alleen degene die hem nooit zouden verraden bleven. Vrouwen en mannen.' Ze duwde langzaam haar sigaret uit.

Julia had het gevoel dat ze in slowmotion keek. Het maakte haar onrustig.

'Ik kan geen normaal leven meer leiden,' zei de vrouw. 'Ik ben in films te zien. Films, internet. Noem maar op. Mannen herkennen mij.'

'Denk je dat Martin je terugvindt?'

'Absoluut. Daarom vertrek ik. Morgen.'

'Waarheen?'

Andrea glimlachte. Ze gaf geen antwoord.

'Ken je Evelin Walters of Evelin Milan?'

Andrea schudde haar hoofd. 'Ik zag veel vrouwen komen en gaan. Ik kende geen echte naam. Iedereen had een nepnaam. Ik ook.'

'Ik kan kijken of ik een foto van haar kan krijgen.'

Andrea schudde opnieuw haar hoofd. 'Na vandaag zie je mij niet meer. Het zou ook geen zin hebben, want ik denk niet dat ik een vrouw van de foto zou herkennen. Het was een komen en gaan daar. Ik woonde al heel snel niet meer in zijn woning, maar in een goor kamertje van een flat. Ik weet niet wie mijn plaats heeft ingenomen. Een foto zou mij niets zeggen. Er waren momenten waarop ik mijn eigen moeder niet herkend zou hebben. Veel momenten.'

Julia onderdrukte haar teleurstelling. 'Wat kun je nog meer over Martin vertellen?'

'Bar weinig. Ik kan je zijn adres geven, maar dat weet je waarschijnlijk al. Verder is hij knap en een gladde prater. Hij lijkt aardig, maar dat is hij niet. Hij is door en door rot vanbinnen. Hij gebruikt vrouwen om er zelf beter van te worden. Hoe dan ook. Hij geeft om niemand iets. Ik geloof niet dat hij emoties kent. Waarschijnlijk is hij niet normaal, maar dat zijn er wel meer niet. Hij geniet van zijn macht over vrouwen. Dat bang maken... ik denk dat hij dat leuk vindt. Hij geilt erop. Zo iemand is hij.'

'Ken je meer mensen die Martin kennen?'

'Niemand die met jou zou praten.'
'De vriend die je daar heeft weggehaald?'
Andrea schudde haar hoofd. 'Ik weet niet waar hij is.'
Julia wist dat ze loog, net zo goed als dat ze wist dat ze dat zou ontkennen.
'Denk je dat hij iemand kan vermoorden?'
'Martin?' Ze lachte kort en bitter. 'Absoluut. Als het hem uitkomt…'
'Is Martin zijn echte naam?'
Andrea trok kort haar wenkbrauwen op en schudde toen haar hoofd. 'Ik denk het niet. Niemand had zijn eigen naam.'

10

Het was acht uur 's avonds toen Chris belde. Julia had de meubels aan de kant geschoven en streek dikke klodders witte verf over de rode letters. Ze veegde haar handen aan haar broek af toen ze de telefoon opnam.

'Julia, het spijt met dat ik je stoor.' Hij haperde en schraapte een paar keer zijn keel. Zijn stem klonk hoger dan anders.

'Wat is er?'

'Meggie.'

'Wat is er met Meggie?' Julia onderdrukte een rilling.

'Ze is weg.'

'Jezus, hoe is dat mogelijk?'

'Ik weet het niet.' Hij stokte. Julia hoorde dat hij huilde. Misschien ook niet helemaal. 'Ik weet het niet. De recherche was hier. Ze hebben Renée gevonden. Mijn god, ze was dood.'

'Heb je de politie gewaarschuwd?'

'Ja.'

'Ik kom.'

'Het spijt me dat ik je belde. Ik wist niemand... ik moest met iemand praten. Mijn god, ik weet niet waar ze is. En Renée. Ze is dood, Julia.'

'Weet ik.'

'Hoe?'

'Ik kom naar je toe.'

Julia verbrak de verbinding en rende naar beneden. Gehaast liep ze Ians kamer binnen. Het vertrek was leeg. Ze herinnerde zich dat Ian een afspraak had met Amelia of hoe dat meisje ook mocht heten. Hij had de afspraak af willen zeggen vanwege alles wat er was gebeurd, maar Julia had hem weggestuurd. Ze had geen behoefte gehad aan iemand om zich heen. Blijkbaar was hij al vertrokken.

'Ik hoop dat je met de motor bent,' mompelde ze. Ze keek naar het dressoir en zag vrijwel onmiddellijk de sleutels van de Jeep liggen. 'Dank je.' Ze pakte de sleutels en rende naar buiten.

Ik zou een eigen auto moeten kopen, dacht ze.

Ze vernielde bijna de versnellingsbak toen ze al te gejaagd wilde vertrekken. De auto protesteerde luidkeels. Julia mompelde zacht een excuus en reed weg.

Ruim een half uur was ze onderweg. Toen ze bij Chris voor de deur stond was ze opgefokt en voelde ze hoofdpijn opkomen.

Chris deed vrijwel onmiddellijk open. Zijn gezicht was lijkbleek en hij had gehuild.

'Julia, ik… Meggie is terecht.'

'Wat is er met haar?'

'Ze zat in de kelder.' Hij schudde zijn hoofd en streek door zijn haren. 'Ze zat in de kelder, verdomme.'

'Hoe kwam ze daar terecht?'

Hij haalde zijn schouders op.

'Kan ze zichzelf hebben opgesloten?'

Hij schudde zijn hoofd. 'De deur was van buitenaf gesloten.'

'Is ze in orde?'

'Ja, nee, weet ik niet. Ze heeft blauwe plekken. Misschien is ze van de trap gevallen. Of geduwd.'

'En nu?'

'Ze zat in een hoekje. Opgerold als een kleine bal in de duisternis. Ze moet doodsbang zijn geweest.'

'Hoe kan dat zijn gebeurd?'

'Ik was boven. Ik was van streek. De politie was hier vanwege Renée. Renée is dood.' Hij wreef opnieuw door zijn haren. Julia las de wanhoop in zijn ogen. 'Ze is dood. Ik weet niet wat er allemaal gebeurt.'

'Ik weet dat ze dood is.'

'Hoe?'

'Heeft de politie niets gezegd?'

'Alleen dat ze haar gevonden hebben.'

'Ik was erbij.'

Hij keek haar verbijsterd aan. 'Hoe? Hoe kan dat?'

Er is heel veel zand. Grote bergen zand. Niemand kan haar zien. Ze kan niet roepen, want ze is dood.

'Ik ben journalist.'

'Ja.'

'Zullen we naar de woonkamer gaan?'

'Ja. Ze is vermoord. Maar dat zul je dan wel weten.'

'Ja.'

Hij liep voor haar uit de woonkamer in. Zijn gebogen houding viel Julia onmiddellijk op. Het was alsof hij in korte tijd jaren ouder was geworden.

'Ze hebben haar eerst opgesloten. Ze moet doodsbang zijn geweest.' Hij liet zich op de bank zakken en staarde voor zich uit.

Meggie zat in haar eigen hoek. Ze speelde niet, maar staarde door het raam naar de tuin. Ze leek verder niets te zien. Julia zag de blauwe plek op haar jukbeen.

'Ze is er weer. Het is goed,' zei Julia. Waardeloze woorden.

'Nee, dat is het niet.' Hij klonk vermoeid. 'Het is niet voorbij. Meggie werd opgesloten en die Jolien... ze wordt misschien echt gevolgd. Misschien is zij de volgende.'

'Weet de politie ervan?'

'Ja. Ik weet niet of dat wat uitmaakt. Renée werd ook lastiggevallen. Ze heeft dat toen ook gemeld.'

Julia knikte. Ik ook, dacht ze.

'Weet je waar Nicholas is?'

'Geen idee. Ik heb geen contact met hem.'

'We moeten hem vinden.'

'Ik denk niet dat dat lukt.' Hij keek Julia aan. Zijn ogen waren vochtig. 'Wat een puinhoop. Verdomme!'

Hij boog zijn hoofd. Julia dacht dat hij huilde. Ze aarzelde.

Uiteindelijk ging ze toch naar hem toe en legde een arm over zijn schouder. Het voelde vreemd aan, alsof ze iets deed wat eigenlijk niet mocht.

Chris draaide zich naar haar toe, pakte haar vast en drukte haar tegen zich aan. Ze voelde het vocht van zijn tranen in haar nek.

Een tijd lang bleven ze zo zitten. Geen van beiden zei iets.

Julia wist niet waardoor haar aandacht naar Meggie werd getrokken, ze merkte alleen dat ze zich op een bepaald moment zo had gedraaid dat ze haar kon zien.

Het kind staarde niet meer voor zich uit en speelde niet met de pop. Ze keek Julia recht aan. Julia schrok van de uitdrukking op haar gezicht. Haar porseleinen gezicht was veranderd in een woedend masker. Haar blauwe ogen leken dwars door Julia heen te kijken.

Julia maakte zich voorzichtig los uit de omarming van Chris, maar bleef naar Meggie kijken. Meggies uitdrukking veranderde niet. Haar handen waren tot vuisten gebald en haar schouders waren krampachtig opgetrokken.

'Meggie…' fluisterde Julia.

Chris keek om. De gezichtsuitdrukking van het kind veranderde meteen. Ze draaide zich om en pakte haar pop. Haar bewegingen waren krampachtig, maar de woede leek verdwenen. Of het werkelijk zo was, betwijfelde Julia. Het kindergezicht was nu vlak en emotieloos, alsof het zo was getekend.

'Wat was er?' vroeg Chris. Zijn ogen waren bloeddoorlopen en gezwollen.

Ze is kwaad.

'Niets.'

'Zeker weten?'

Julia knikte.

Chris streelde over haar donkere haren en raakte haar gezicht aan. Zijn hand trilde. 'Bedankt.'

Julia knikte. Ze rook zijn lichaam. Een mengeling van vocht

en zeep. Fris en aangenaam. Ze voelde de neiging om hem opnieuw vast te pakken. Tegen hem aan te leunen en zijn handen te voelen. Ze had behoefte aan iemand die haar weer vasthield, maar ze negeerde het.

In plaats daarvan schoof ze een stukje achteruit. 'Gaat het weer?' Chris schudde zijn hoofd. 'Nee.' Hij keek haar recht aan. 'Ik kan het idee niet verdragen dat iemand haar pijn heeft gedaan. Dat iemand haar zoiets heeft aangedaan. Ik kan het eenvoudigweg niet verdragen.'

Julia gaf geen antwoord.

'Ze hebben mij ondervraagd. Misschien is het een standaardprocedure, maar ik heb de indruk dat ze mij verdenken. Het is absurd. Nee, dat klopt niet. Het is logisch, maar voor mij is het absurd.'

'Ik denk dat ze vooral Nicholas zoeken.'

'Ze vinden hem niet.'

'Kan hij het zijn geweest?'

'Die moord? Misschien wel. Gezien de wijze waarop... Ja, hij zou zoiets kunnen doen. Maar niet met Meggie. Hij houdt van Meggie.'

'Kent hij Meggie?' Julia had daar geen rekening mee gehouden. Ze was ervan uitgegaan dat Chris zijn broer al lang niet meer had gezien, maar dat was helemaal niet ter sprake gekomen.

'Ja, Nicholas kent Meggie. Als hij van iemand kan houden, dan is het wel van Meggie. Hij zou haar geen kwaad doen. Iedereen, behalve haar.'

'Kende hij ook Evelin?'

'Ja.'

'Mocht Evelin hem?'

Chris leek te twijfelen. 'Weet ik eigenlijk niet. Ze praatte soms over hem. Een mengeling van angst en ontzag. Ik denk dat ze in zekere zin tegen hem opkeek. Net zoals ze tegen Martin opkeek.'

'Heb je Martin zelf ooit gezien?'

'Nee. Alleen gesproken via de telefoon. Ik had niet zo veel behoefte om hem te zien. Voor zover ik weet heeft de recherche hem ook gesproken, maar veel zal hij niet loslaten.'

'Misschien vinden ze via hem Evelin. Als hij tenminste weet waar ze is.'

'Ik denk dat hij dat wel weet. Ik denk dat die hele ruzie over haar slechts toneelspel was. Hij zal wel weten waar ze is, maar hij wil het niet zeggen. Wist je dat Meggie dingen heeft gezegd?' Julia knikte.

'Ja. Natuurlijk,' zei hij meteen. 'Die politiemensen… ze geloven niet dat Meggie dingen in haar hoofd ziet. Ik kan het mij wel voorstellen. Soms weet ik zelf niet wat ik moet geloven. Maar voor hen betekent het dat ze dingen echt heeft gezien. Dat kan dus alleen als ik… Het ziet er dus slecht uit. Ze zeggen het niet, maar ik voel hoe ze over mij denken. Vooral die Jorg. Die collega van hem zegt niet veel, maar ik zie ook aan zijn gezicht dat hij mij niet gelooft. Ik begrijp het wel, maar toch…' Hij begroef zijn gezicht in zijn handen en bleef enige tijd zo zitten. Plotseling strekte hij zijn rug en keek Julia recht aan. 'Denk jij dat ik het heb gedaan?'

Julia beantwoordde zijn blik. 'Ik heb het voor mogelijk gehouden.'

'Nog steeds?'

'Nee.' Ze sloot haar ogen en schudde haar hoofd. 'Nee, ik geloof niet dat jij het was.' Ze dacht aan de man die ze op de hoek had zien staan. Of was het een vrouw? Chris was toen binnen geweest.

Chris leek zich te ontspannen. 'Ik lust wel een whisky. Jij ook?' Julia knikte. Ze besefte dat ze het beter niet kon doen, maar ze knikte toch.

Hoe laat Julia uiteindelijk opstond wist ze niet. Meggie was allang naar bed. Buiten was het erg donker en harde windvlagen duwden de regen tegen de ruiten. Binnen was het aangenaam warm. Zeker nu ze zo dicht bij Chris had gezeten. Hoe dichtbij merkte ze eigenlijk nu pas.

Ze hadden de hele avond gepraat en misschien was ze wel iets te openhartig geworden. Ze had het verteld van die rode letters op haar muur. Misschien had ze dat niet moeten doen, maar het was nu eenmaal gebeurd. Hij had haar meerdere keren gezegd dat ze moest opletten, de politie moest waarschuwen. Bijna had hij zelf gebeld. Het had lang geduurd voordat ze met hem over iets anders had kunnen praten, maar ze had wel gemerkt dat het hem niet losliet.

Nu ze stond merkte ze ook dat ze niet meer erg vast op haar benen stond.

'Ik moet naar huis,' mompelde ze. Ze dacht aan de kou buiten en aan de lange donkere weg.

'Je hebt te veel gedronken,' zei Chris.

'Weet ik.'

'Blijf hier. Je moet niet alleen 's nachts die weg opgaan. Niet na wat er is gebeurd.'

'Ik kan niet blijven.'

'Waarom niet?'

'Gewoon. Het kan niet.'

'Die Ian, is dat jouw vriend?'

'Een vriend, ja. Niet meer.'

'Waarom kan je dan niet blijven? Het is verdomd laat. Je hebt teveel gedronken en god weet wat daarbuiten is…' Zijn hand streelde haar arm.

'Er gebeurt niets met mij. Ik kan voor mijzelf zorgen.'

Is dat zo?

'Misschien. Ik weet het niet. Maar dat is het niet alleen... Ik wil niet alleen zijn vannacht.'

Julia schudde haar hoofd. 'Ik kan echt niet blijven.'

'Ik verdraag die volledige stilte niet om mij heen. De duisternis…'

Julia aarzelde een moment. Hoe lang was het nu geleden dat ze met iemand had gevrijd? Eigenlijk wilde ze het gewoon doen. Blijven en tegen hem aankruipen. Met hem vrijen. Zijn lichaam voelen. Wat maakte het uit? Ze keek naar hem. Naar zijn knappe gezicht, zijn lichaam en schudde langzaam haar hoofd. Ze kon het niet doen.

'Alsjeblieft.' Hij pakte haar arm vast. Niet te vast, maar voorzichtig. Ze verlangde naar zijn handen. Maar ze kon het niet doen. Niet met Meggie in de buurt en niet na alles wat er was gebeurd.

'Ik kan het niet,' zei ze. Ze keek hem recht aan.

Hij beantwoordde haar blik en liet haar los. 'Natuurlijk niet. Ik… ik zou niet met je gevrijd hebben. Ik denk niet dat ik dat zou kunnen. Niet met Renée nog in mijn gedachten. Ik wilde alleen…' Hij haperde. 'Ik weet niet wat ik wilde.'

Hij ging weer een stukje naar achteren zitten en staarde voor zich uit. 'Die stilte, die duisternis… mijn god, ik heb zo'n hekel aan de nacht.' Plotseling ging hij recht zitten en bleef een paar seconden in die houding steken. 'Ik heb iets gehoord,' zei hij.

'Wat?' Julia bleef doodstil zitten en luisterde. Ze hoorde alleen haar eigen ademhaling.

'Meggie.' Chris stond op en liep gejaagd de kamer uit. Julia keek hem na. Ze hoorde zijn voetstappen op de overloop. Deuren gingen open en dicht. Toen hij terugkwam leek hij enigszins gerustgesteld. 'Het was niets,' zei hij.

Hij voelde koud aan toen hij weer naast haar kwam zitten. Heel dicht bij haar. Julia wist dat ze op moest staan. Ze moest opstaan en gaan. Haar lichaam voelde loom aan. Ze voelde hoe Chris haar arm aanraakte. Hij trilde een beetje. Ze wilde iets zeggen en keek hem aan. Ze besefte dat hij met zijn gedachten niet bij haar was. Hij zat gespannen recht, zijn ogen opengesperd. Af en toe voelde ze een kleine schok, alsof hij ergens van schrok. Hij luisterde.

Ze wilde hem geruststellen, maar haar woorden raakten hem nauwelijks. Wel hield hij haar arm vast. Alsof hij ergens bang voor was

'Je had het over de duisternis. Je wilde niet alleen zijn vanwege de duisternis,' begon ze.

'Ja.' Hij ging niet verder.

'Wat bedoelde je daarmee?'

'Het is moeilijk uit te leggen. Soms wordt het donker om mij heen. Niet helemaal donker maar het soort duisternis dat ontstaat als wolken voor de zon schuiven. Of bij een zonsverduistering. Ja, dat komt er dichterbij. Zoiets is het.'

'Hoe kan dat? Ik bedoel…'

'Ik kan het niet uitleggen. Het is niet echt. Alleen voor mij. Soms gebeurt het gewoon.'

'Iets wat in jezelf zit?'

Zoiets als een paniekaanval

Hij dacht even na. 'Ik denk het. Het is idioot, maar het beangstigt me.'

'Ik weet wat je bedoelt.'

'Ja. Ik geloof het ook.' Hij bleef haar arm aanraken alsof hij zichzelf daarmee gerust wilde stellen.

Julia's ogen werden zwaar. De onrust in haar lichaam nam af. Ze wilde tegen hem aan liggen en slapen. Geen kou meer voelen… Ze stond op.

'Ik moet gaan.' Ze wachtte niet op een reactie, maar liep gejaagd de deur uit.

Pas toen ze in de Jeep zat merkte ze dat ze trilde. Ze haalde een paar keer diep adem en startte de auto. Veel te hard reed ze weg. Ze keek niet om, maar ze wist dat Chris haar in de deuropening nakeek.

Het was laat, maar Martin zag haar vertrekken.

'Ik wist wel dat je lang bij hem zou blijven,' mompelde hij. Misschien moest hij er iets aan doen.

Hij moest eindelijk contact met haar zoeken.
Na die actie moest ze reageren. Dat deden ze altijd.
.
Julia had hem niet gezien. Ze zag alleen de witte huizen voor-
bijflitsen en de donkere straat voor haar. Ze draaide de auto-
weg op en liet de witte wijk achter zich. Gejaagd reed ze naar
huis. Ze was bijna thuis toen haar mobieltje overging.
Als vanzelf nam ze op en noemde haar naam.
'Wat hebben jullie gedaan?' vroeg een stem. Julia schrok. Ze
wilde het niet, maar ze kon het niet voorkomen.
'Wie ben je?'
'Was het lekker of kreeg hij hem niet hard?'
'Durf je je naam niet te noemen?'
'Hij krijgt hem niet overeind. Ik wel. Ik hoef je lichaam maar
te zien...'
'Val dood!' Julia verbrak de verbinding. Ze merkte dat ze hijg-
de. 'Klootzak,' mompelde ze. Ze reed haar eigen straat in en
parkeerde haar auto voor de deur. Een paar tellen bleef ze zitten. Ze keek naar boven, naar het raam van haar woning. Ze
zag niets als duisternis achter de ramen. Koude duisternis.

Jolien werd rond dezelfde tijd badend in haar eigen zweet wakker. Ze schoot recht overeind en keek met grote ogen de kamer
rond. Ze had iets gehoord. Ze wist het zeker. Haar hart klopte veel te hard en veel te snel toen ze langzaam opstond. Doodsbang
sloop ze haar slaapkamer uit. In elke schaduw meende ze iemand
te herkennen.
Af en toe kraakte er iets. Dan verkrampte ze en hield haar
adem in. Daarna sloop ze verder. Ze verwachtte steeds dat er
plotseling iets achter haar zou opduiken. Ze wachtte op de
harde klap die zou komen. Het gebeurde niet. Het huis was
leeg. Misschien was er iemand geweest, maar nu niet meer.
Ze liep naar de keuken en nam een slok wodka. Misschien
kon ze beter onderduiken. Naar familie of een vriendin. Ze

nam nog een slok en staarde voor zich uit.

Opeens wist ze het. Het vakantiehuis van haar moeder. Daar was nu niemand. Het was de ideale schuilplaats. Ze zou de kapsalon moeten sluiten en haar spullen moeten pakken, maar dat maakte allemaal niets uit. Ze moest naar een veilige plek. Ze wilde de volgende niet zijn. Ze haalde een pakje sigaretten uit de la en stak er een op. Gejaagd nam ze een paar trekjes en maakte hem weer uit. Ze kon maar beter meteen gaan.

11

Julia liep direct door naar haar eigen woning. Ze had even geaarzeld voor de deur van Ian, maar niet aan de verleiding toegegeven om daar naar binnen te gaan. Waarschijnlijk was hij niet eens alleen. Niet na die afspraak.

Het was donker in haar kamer. De meubels waren naar het midden geschoven. Nonchalant neergegooide kranten lagen tegen de muren en op de tafel. Roze letters drongen vaag door de witte verf heen. Ze liep naar de verfpot en pakte de kwast die ze op het deksel had gelegd. Hij voelde droog en hard aan. De verf in de pot leek taai als teer. Ze had de pot moeten sluiten. Nu moest ze een nieuwe pot halen. Nieuwe verf, kwasten en alles wat ze verder nodig had. Ze moest weer aan het werk. Ze zuchtte diep en keek de kamer rond. Overal lag rotzooi. Hoe lang had ze hier al niets meer gedaan, behalve dan de halfslachtige poging van gisteren om de rode verf te doen verdwijnen? Morgen. Morgen zou ze iets doen. Ze liep door naar haar slaapkamer. Het was er koud. Het onopgemaakte bed zag er leeg en kil uit. Ze gromde een verwensing en liep naar de keuken. Eerst koffie.

Nog voordat ze water had opgezet ging de telefoon over. Ze dacht niet na toen ze hem opnam. Ze wenste dat ze had nagedacht en misschien zelfs had gekeken naar de nummerweergave. Ze dacht er niet aan.

'Je hebt wel veel troep in je kamer,' zei de mannenstem. Ze herkende hem meteen.

'Wat moet je?' Ze onderdrukte haar angst. Ze wilde kwaad op hem zijn. Alleen maar kwaad.

'Jammer dat je die verf niet weg krijgt.'

'Wat?'

'Bovendien ben je vergeten de pot te sluiten. Dat moet je altijd

doen. Hij droogt uit als je hem niet sluit.'
'Klootzak. Wat heb je hier gedaan?'
Julia keek gejaagd om zich heen.
'Niets. Alleen gekeken.'
'Waarom?' Ze merkte dat ze in de hoorn kneep. Haar hand
deed pijn.
'Ik wil meer van je weten.'
'Waag het niet om hier nog een keer te komen,' dreigde ze.
De stem lachte.
Julia verbrak de verbinding. Ze voelde de inhoud van haar
maag tegen de binnenkant van de maagwand drukken. Het
deed pijn. Net als het kloppen in haar hoofd.
Julia gooide het mobieltje aan de kant en liep naar het raam.
De weg glom van de regen. Vochtige, gekleurde bladeren plak-
ten troosteloos aan het wegdek. Er was niemand te zien.
Julia draaide zich om, liep naar de keuken en maakte koffie.
Toen ze tien minuten later met de gevulde mok in haar hand
de kamer binnenliep, trilden haar handen nog steeds.
Ze schrok toen de telefoon opnieuw overging. Een paar tellen
staarde ze naar haar mobieltje. Ze zag een nummer op de weer-
gave staan. Had dat er eerder ook op gestaan? Ze wist het niet.
Ze nam het toestel in de hand en keek ernaar. Ze aarzelde te
lang. Het geluid van de telefoon stierf weg en liet een drukkende stilte achter. Julia wilde het mobieltje wegleggen toen
het opnieuw overging. Ze klemde haar lippen opeen en drukte op de toets met het groene telefoontje. Onzeker bracht ze
hem naar haar oor en reageerde met een simpel 'Ja?'
'Kom morgen om twaalf uur naar bezoekerscentrum *Mijl op
Zeven*.' Het klonk niet als een vraag, maar als een bevel. De
stem klonk anders dan de voorgaande twee keren. Hees, enigszins fluisterend. Misschien was het niet dezelfde persoon.
Misschien was het niet eens een man.
'Wat moet ik daar doen?'
'Praten.'

'Ik kom niet.'

Een paar tellen was het stil. 'Ik zou het toch maar doen.'

'Waarom?'

'Omdat het anders niet ophoudt.'

'Is dat een dreigement?'

'Nee.'

'Wat dan?'

'Twaalf uur, *Mijl op Zeven*.'

Met een doffe klik werd de hoorn opgelegd. Julia probeerde het nummer weer te bellen, maar niemand nam op.

Ze liep naar het raam en staarde naar buiten. 'Wie ben je?' mompelde ze. Ze keek op de klok. Half drie. Tijd genoeg. Om wat te doen?

Kwart voor twaalf stapte Julia in de Wrangler. Ze was nog niet lang wakker. Om zes uur had ze pas de moed kunnen opbrengen om naar bed te gaan. Dat was toen de ergste duisternis verdween. Ze was naar bed gegaan en had geslapen tot een kwartier geleden. Ze had meteen aan het telefoontje gedacht. Ze had besloten om niet te gaan, om onmiddellijk daarna van gedachten te veranderen. Ze moest weten wie het was. Waarom hij belde. Ian had ze nog niet gezien. Misschien wilde ze hem nu ook niet zien. Ze startte de auto en reed weg. Richting *Mijl op Zeven*.

Jolien was onderweg naar het huisje van haar moeder. Af en toe keek ze in haar spiegel. De zwarte auto zat nog steeds achter haar. Hij was niet harder gaan rijden, maar volgde haar. Ze kon de inzittende niet zien. Steeds opnieuw keek ze in haar spiegel. Ze kon geen gezicht zien. Ze kon niet eens met zekerheid zeggen of het een 'hij' was. Ze meende te weten wie het was, maar ze kon zich vergissen. Veel zou het niet uitmaken. Ze gaf wat gas bij en zag dat de auto achter haar ook zijn tempo verhoogde.

Jolien nam een slok wodka en stak een nieuwe sigaret op.

Julia reed de bijna lege parkeerplaats van *Mijl op Zeven* op.
Het grind knisperde onder haar banden. Ze dacht aan Renée.
Renée die naar de parkeerplaats was gereden voor een afspraak.
Ze was bij iemand in de auto gestapt. Misschien vrijwillig,
misschien ook niet. Er was niemand die het had gezien. Niemand
die haar had kunnen helpen. Kansloos. Dat moest ze hebben
beseft toen ze met gebonden handen werd opgesloten.
Ze overwoog om in de auto te blijven zitten. Alleen dan kon
ze het gas intrappen en wegrijden als dat nodig was. Maar zou
ze dat ook doen? Of zou ze toch eerst zijn gezicht willen zien?
Een paar tellen wachtte ze. Ze trommelde met haar vingertoppen op het stuur en keek om zich heen. Niemand die op
haar wachtte, tenzij… Julia haalde diep adem en stapte uit.
Ze kon niet eenvoudigweg afwachten. Ze moest het weten.
Onrustig liep ze over de parkeerplaats en keek naar de drie
lege personenauto's. Niemand. Wolken joegen voort en lie-
ten af en toe een klein stukje zonlicht door. Net te weinig om
wat warmte te verspreiden. Wind zocht zijn weg tussen de
boomtoppen van de Groote Peel en verplaatste zich vrij over
de akkers. Vogels zongen beheerst, alsof de herfst hun stem-
ming een beetje bedrukte. De auto's die af en toe in een te
hoog tempo voorbijraasden verbraken de rust.
Hoe lang was ze hier niet meer geweest?
Ze schrok toen een auto de parkeerplaats opreed. Met samengeknepen ogen keek ze naar het voertuig en zag twee mensen zitten. Evelin en Martin, schoot door haar heen. Meteen
daarop schudde ze haar hoofd. Dit waren oudere mensen. Ze
reden voorzichtig om haar heen en parkeerden hun auto in
een van de vele verlaten vakken. Julia keek ernaar en bemerk-
te te laat de auto achter haar. Pas op het allerlaatste moment
hoorde ze dat hij gas gaf. Ze draaide zich om en zag hem nade-

ren. Een donkere auto. Donkerblauw misschien. Hij kwam recht op haar af. Een gezicht zag ze niet. Alleen de bumper. Ze sprong opzij, struikelde, viel en rolde door. De remmen van de auto gierden. Met slippende banden draaide hij zich om en reed opnieuw op haar af.

Julia krabbelde overeind en rende weg. Op het laatste moment dook ze weg achter haar auto. De donkere auto schraapte langs de achterkant. Een BMW. Het was een BMW. Geen nummerplaat. De remlichten brandden fel toen de auto stopte. Een pijnlijke kramp trok door haar maag. Ze was zich pijnlijk bewust van haar eigen ademhaling. Voorzichtig bewoog ze zich langs de zijkant naar het portier. Wat als ze zou instappen? Was de Jeep sterk genoeg als de BMW op haar auto inreed? Zou het ijzerwerk haar kunnen beschermen?

De BMW werd met slippende banden gedraaid en leek naar haar te kijken. De motor maakte een hels kabaal. Hij stokte een paar keer als een wilde stier die weg wilde rennen, maar door een onzichtbaar hek werd afgeremd.

Vanuit haar ooghoeken zag ze het ouder echtpaar staan. Was de man aan het bellen?

Plotseling reed de auto achteruit, draaide om zijn as en reed weg. Steentjes spatten als regendruppels uiteen. De BMW verdween met hoge snelheid. De stilte keerde terug.

Julia dacht niet meer na. Ze rende naar de Jeep, stapte in, startte de auto en gaf stevig gas. Gejaagd reed ze achter de BMW aan. Ze zag niet dat nog iemand naar haar keek.

De BMW joeg terug over de Moosdijk naar de Ospelsedijk. Het tempo was hoog, maar Julia hield hem bij. Ze volgde hem over de Meyelsedijk richting Meyel. Met een veel te hoge snelheid reed ze door het dorp, haar ogen gefixeerd op de auto voor haar. Woedende gezichten van mensen, iemand die haar kind aan de kant trok en schold... het ontging haar niet. Maar er was slechts één ding dat telde. Ze wilde een gezicht zien. Ze trapte het gas dieper in en volgde de rode lichten over de plaatselijke wegen. De BMW won terrein. Ze trapte het gas verder in, maar moest plotseling remmen voor een groep fietsende jongeren. De BMW verdween uit zicht. Julia vloekte en sloeg op haar stuur. Ze was hem kwijt.

Toen de telefoon op de terugweg overging schrok ze niet. Ze had het min of meer verwacht.

'We moeten praten.' Het was weer die zachte, hese stem.

'Waarom?'

'Renée. Het kan ook met jou gebeuren.'

'Een dreigement?'

'Nee. Een waarschuwing.'

'Dat van daarnet ook?'

'Het heeft ermee te maken.'

'Je probeerde mij dood te rijden.'

'Dan was je allang dood geweest. Ik was het niet.'

'Wie dan?'

Het bleef stil aan de andere kant.

'Wie?'

'Degene die jou heeft gebeld.'

'Jij hebt mij gebeld.'

'Weet je dat zeker? Was het dezelfde stem?'

Julia gaf geen antwoord.

'Iemand bedreigt je. Ik kan je helpen.'

'Laat me raden. Je bent Martin.'

'Doet dat ertoe?'

'Ja.'

'Goed. Ik ben Martin en ik ben de enige die je kan helpen. We moeten praten.'

'Net als die andere vrouwen?'

'Welke vrouwen?'

'Vrouwen die eerst bang werden gemaakt en dan jouw hulp kregen. Handig als ze zo afhankelijk van je zijn. Dan kun je er alles mee doen.'

'We hadden het over jou.'

'Alleen over mij? Of ook over Renée of Evelin?'

'Jullie spelen allemaal mee. Ik weet wie er in de BMW reed.'

'Wie?'

'Eerst praten.'

'Waarom zou ik dat doen?'

'Omdat je het wilt weten. Omdat je een gezicht wilt zien.'

'En als ik dat niet doe?'

'Ik zou het maar doen.'

Woedend gooide Julia de telefoon aan de kant. 'Dat moet ik altijd nog zelf weten.' Ze reed terug naar haar huis.

Ze was nog steeds kwaad toen ze uit de auto stapte. Haar handen trilden. Een donkere auto reed net de hoek om. Ze kon niet zien of het een BMW was. Ze gooide de deur van de Jeep dicht en ging de woning binnen. Haar hele lichaam was verkrampt.

Achter Ians deur hoorde ze stemmen. Ian en een vrouw. Ze wilde er niet heen. Niet nu.

In haar eigen woning voelde ze direct de kou. De rommel, de halfgeschilderde wand en de rode verf die maar niet definitief onder de witte verf wilde verdwijnen drongen zich aan haar op. Julia probeerde het allemaal te negeren en draaide de thermostaatknoppen van de verwarming hoger. Ze luisterde naar het getik in de buizen. Ze kende het geluid, maar het stelde haar niet gerust.

Tot drie keer toe liep ze naar het raam om te kijken of ze iemand zag. Ergens daarbuiten was iemand. Ze kende zijn gezicht niet.

De tijd verstreek langzaam. Julia zat in een stoel en dacht na. De gesprekken met Chris, Jolien en Andrea. De telefoontjes. Meggie. Op haar schoot lagen aantekeningen. Stukken die ze na de gesprekken had opgeschreven, het artikel over Chris en kladblaadjes met neergekrabbelde opmerkingen die alleen zijzelf begreep. Althans voor een gedeelte. Haar hoofd deed pijn en haar lichaam protesteerde tegen iedere beweging. Ze kon zich niet concentreren. Geheugenflarden uit haar verleden schoten voorbij. Peter. Haar stiefvader. Gilles. Herinneringen die pijn deden. De belofte dat nooit iemand haar meer zou vertellen wat ze moest doen... Ze masseerde haar slapen en onderdrukte de opkomende woede.

Ian kwam vrijwel geruisloos binnen. Ze schrok toen hij opeens naast haar stond.

'Verdomme Ian.'

'Wat?'

'Ik schrok.'

'Zag ik. Wat is er?'

'Niets.'

'Je ziet er beroerd uit.' Hij gooide een enveloppe op haar schoot en ging tegenover haar zitten. 'Je hebt post.'

Ze pakte de enveloppe vast en bekeek de voor- en achterkant 'Waar was je vannacht? Bij Chris?'

'Thuis.' Ze keek hem niet aan.

'Je was er niet. Om twaalf uur was je er nog niet.'

'Je houdt het nogal goed in de gaten.' Ze speelde met de enveloppe in haar handen. 'Ik was bij Chris. Tot ongeveer half twee vannacht.'

'Vond je dat een goed idee?'

'Nee, niet echt.'

'Waarom deed je het dan?'

'Er is niks gebeurd.'

'Wat deed je daar dan?'

'We hebben gepraat. Hij was er slecht aan toe en had iemand nodig.'

'Raak je niet te veel betrokken?'

'Ja.'

'Je weet niets van hem af.'

'Weet ik. Ik kijk wel uit.'

'Echt?'

Julia gaf geen antwoord, maar maakte de enveloppe open. Ze trok de inhoud eruit en staarde naar de foto en het memoblaadje. Ze voelde dat ze misselijk werd.

Ian keek haar aan. 'Wat is er?' Hij wachtte niet op een antwoord, maar trok de foto uit haar handen.

Het was een afbeelding van een geboeide, naakte vrouw. Over haar hoofd was het hoofd van Julia geplakt. Het was uit een polaroidfoto geknipt.

'Zullen we samen spelen?' Alleen dat stond op het briefje.

'Je moet hiermee naar die rechercheur gaan. Die Jorg of zijn collega,' zei Ian.

Julia sloot haar ogen. Haar hoofd bonkte nog harder dan eerder die dag. 'Weet ik.'

'Is er nog meer gebeurd?'

Julia knikte.

'Wat?'

Julia zuchtte diep en begon te praten. Er was geen emotie in haar stem. Alsof alles was verdoofd.

'Je gaat nergens meer heen,' besliste Ian toen Julia was uitgepraat. 'Althans niet alleen.'

'Je bent al de derde die mij vertelt wat ik moet doen en laten,' zei Julia geïrriteerd.

'Denk je dat het steeds dezelfde persoon is die belt. Martin?'

'De stem klinkt niet steeds hetzelfde. Het kunnen twee personen zijn, maar het kan ook Martin zijn die zijn stem verdraait. Het is zijn werkwijze. Andrea, de vrouw die aan zijn zogenaamde sekte is ontsnapt, vertelde dat. Hij intimideert en grijpt dan in. Het kan dus inderdaad steeds Martin zijn. Als het Martin is.'

'Wie kan het nog meer zijn?'

'Nicholas.'

'Nicholas? Nicholas of Martin?'

'Misschien is Nicholas Martin.'

'Zou dat kunnen?'

Julia knikte nadenkend. 'Ja, dat zou kunnen.'

'Wat wist die vrouw van hem?'

'Ze wist hoe hij te werk ging. Zoals ik al zei; hij intimideert en grijpt dan in. Eerst maakt hij vrouwen doodsbang en dan belooft hij dat hij hen kan helpen. Hij neemt ze op in zijn zogenaamde cirkel van het licht en praat op hen in totdat ze alle banden met vrienden, kennissen en familie verbreken. Vanaf dat moment heeft hij vrij spel. Het toedienen van drugs als medicijnen helpt hem daarbij.'

'Wat doet hij met die vrouwen?'

'Wat denk je?' Het klonk bitter. 'Hij exploiteert ze. Niet alleen vrouwen, maar ook kinderen. Er zijn trouwens ook mannen die deel uitmaken van zijn kleine gemeenschap.'

'Niet zo'n prettige kerel dus. Net als Nicholas.'

Julia knikte.

'Bel Jorg.'

Julia gaf geen antwoord. Haar telefoon ging over en een moment lang keken ze allebei alleen maar naar het mobieltje.

'Zal ik...?'

Julia schudde haar hoofd en keek naar de nummerweergave.

'Het is Chris.'

Ze wachtte niet op een reactie, maar nam het telefoontje aan.

'Julia, is alles goed?' Het klonk bezorgd en ontdaan.

'Ja.'

'Goddank.'

'Wat is er?'

'Ik heb een dreigbrief gekregen. Zoiets in elk geval. Het betrof jou... en Meggie...'

'Wat is er met Meggie?'

'Iemand heeft Meggie aangevallen. Ze was alleen in de woonkamer...'

'Wat?' Julia kreeg een droog gevoel in haar mond. Ze klemde de hoorn vast.

'Gestoken, met een mes. Ik hoorde haar gillen. Ik was even boven. Ik had verdomme de deur gesloten.'

'Jezus.'

'De deur was geforceerd.'

'Is ze…'

'Het is goed. Een oppervlakkige wond aan haar been. Ik had beter moeten opletten Ik had het kunnen weten.'

'Hoe dan?'

'Iemand zwerft hier om het huis. Misschien is het Evelin. Of Martin. Ik weet het niet. Toen ze in die kelder werd opgesloten… Ik wist niet dat het niet alleen om Meggie ging.'

'Wat bedoel je daarmee?'

'Het gas stond aan. Toen Meggie was aangevallen stond het gas aan. Alles was dicht. Ik rook het net op tijd.'

'Denk je dat Evelin of Martin hierachter zit?'

'Misschien allebei. Ze zijn lid van die zogenaamde sekte. God weet hoeveel hulp ze krijgen. Die mensen zijn gestoord.'

'En Nicholas?'

'Nicholas…' Chris zweeg een paar tellen. 'Ik weet niet eens of hij in het land is. Niemand heeft hem gezien.'

'Hij heeft Renée gebeld.'

'Ja.'

'Chris, is het mogelijk dat Martin en Nicholas een en dezelfde persoon is?'

Een paar tellen was het stil. Toen: 'Nicholas en Martin dezelfde persoon? Nee.'

Ze hoorde de aarzeling.

'Weet je dat zeker?'

'Nee. Nee, ik weet het niet zeker. Het is alleen… '

'Martin heet niet zo. Niemand kent zijn echte naam.'

'Als Martin Nicholas is…'

'Dan was Evelin bij hem. En Renée.'

'Als Martin werkelijk Nicholas is, is Evelin ook gevaarlijk. Alleen iemand die als Nicholas is, als Nicholas denkt, kan met hem omgaan.'

'Kan hij degene zijn die in jouw huis was? Die Meggie opsloot en aanviel?'

'Nee.'

'Waarom niet?'

'Hij houdt van Meggie op zijn eigen manier. Zoals ik dat al eerder zei.'

'Op zijn eigen manier?'

'Ik kan het niet uitleggen'

'Kan Nicholas dan werkelijk van iemand houden?'

'Van Meggie. Dat dacht ik tenminste. Ik weet het niet. Ik weet het niet meer.' Zijn stem brak.

'Vertel iets over die brief.'

'Ik had een brief gekregen... het betrof jou. Een soort dreigbrief.' Hij aarzelde.

'Wat voor een brief?'

'Dat doet er niet toe.'

'Wat voor een brief, Chris?' vroeg ze met nadruk.

'Nogal pijnlijk.'

'Vertel.'

'Een foto. Zo'n sm-foto. Het meisje was vastgebonden. Niet zomaar vastgebonden, maar, nou ja, laten we zeggen nogal pervers.'

'En over haar hoofd was een foto van mijn kop geplakt.'

'Hoe weet je dat?'

'Ik heb ook zoiets gekregen.'

'Mijn God, Julia. Ik denk dat het beter is als je er verder buiten blijft.'

'Is dat niet precies wat hij wil?'

'Ik betwijfel het. Volgens mij heeft hij liever dat je doorgaat. Daarom wil ik dat je stopt.'

'Ik kan dat niet en dat weet je.'

'Ik wil niet dat jou hetzelfde overkomt als Renée.'

'Ik ook niet.'

'Waarschuw op zijn minst de recherche. Jorg en Dré. Die weten ook wat er hier is gebeurd.'

'Ja.'

'Goed. Dan is het goed. Julia, ik…'

'Wat is er?'

'Kan ik je vandaag nog zien?'

Julia aarzelde.

'Alsjeblieft. Ik wil met je praten. Ik word gek hier. Te stil. Te donker.'

'Ik kom.'

Chris haalde opgelucht adem. 'Bedankt.'

'Ik praat met Jorg of Dré en dan kom ik.'

'Doe dat.'

Julia keek Ian aan toen ze de verbinding verbrak. 'Hij heeft Meggie aangevallen en het gas opengedraaid bij Chris.'

'Wie hij?'

'Martin, Nicholas, misschien zelfs Evelin.'

'En nu ga je ernaartoe?'

'Ja.'

Ian schudde zijn hoofd. 'Je zit er al veel te ver in.'

'Klopt. Daarom kan ik niet terug. Ik kan niet meer gewoon achter mijn bureau zitten, over hen schrijven en hen dan simpelweg vergeten. Chris en Meggie. Ze blijven in mijn hoofd. Ik wil weten wat er is gebeurd.'

'Daarbuiten loopt iemand rond die daar niet blij mee is. Wat doe je daarmee?'

'Dat is het juist. Dat er iemand is wiens gezicht ik niet ken en dat weet hij. Of zij. Denk je nu werkelijk dat het ophoudt als ik stop?'

Ian staarde een paar tellen voor zich uit. 'Vertrouw je die Chris?' vroeg Ian. Hij keek Julia onderzoekend aan.

Julia gaf niet meteen antwoord. Vertrouwde ze Chris?

'Ja.'

'Waarom?'

'Hij is een slachtoffer. Net als ik.'

'Weet je dat zeker?'

'Ja.'

Was dat zo?
'Ik ga met je mee.'
'Nee.'
'Je gaat niet alleen.'
'Je weet waar ik ben. Ik heb verdomme mijn mobieltje bij me. Er gebeurt niets.' Zag hij dan niet dat ze niet anders kon? Dat ze het zelf moest doen?
'Net als vanmorgen?'
'Vanmorgen ging ik naar een afspraak met iemand die ik niet kende. Dat was stom. Nu ga ik alleen naar Chris. Niet meer en niet minder.'
'Je weet niet wat er met hem is. Je weet niet of er iemand op je wacht.'
'Pech.'
'Verdomme Julia, moet het eerst fout gaan voordat je eindelijk een beetje verstand in dat botte brein van je krijgt,' viel Ian uit.
'Jezus Ian, ik ga alleen naar een vriend.' Ze gooide de papieren op tafel en stond op.
'Je vriend? Verdomme, Julia, je kent die kerel toch niet eens.'
'Luister eens Ian, je weet dat ik toch ga. Alleen. Je weet waar ik ben en ik heb het mobieltje bij me. Bel me voor mijn part elk uur, maar zeur niet aan mijn kop over al dan niet gaan.'
'Praat op zijn minst eerst met die rechercheurs.'
'Ja.'
'Voordat je naar Chris gaat.'
Julia haalde diep adem en keek door het raam naar buiten.
'Ja.'
'En zeg hem waar je bent.'
'Ik zal een rapport opstellen,' zei Julia sarcastisch.
'Je bent een verrekte stijfkop.'
'Weet ik.'
'Je zult mijn Jeep wel weer moeten hebben.'
'Graag.'

'Het wordt tijd dat ik daar eens huur voor ga vragen.'
'Als ik geld heb, tank ik een paar keer voor je.'
'Dat kan nog wel even duren.'
Julia klopte even op zijn schouder en liep langs Ian door naar buiten. Ze wist dat hij haar nakeek, maar ze keek niet om.

Julia had Jorg en Dré nog net op tijd getroffen. Ze stonden juist op het punt om te vertrekken toen ze het bureau binnenliep. Zij waren enigszins verbaasd haar aan te treffen, maar maakten meteen tijd voor haar vrij.
Julia deed haar verhaal vrij vlot. Nuchter vertelde ze over de dreigingen, telefoontjes en het incident op de parkeerplaats bij *Mijl op Zeven*.
'Je hebt ook gehoord wat er bij Chris is gebeurd?' vroeg ze.
'Chris? Ja.' Jorg keek haar niet aan, maar maakte notities.
'Enig idee wie erachter zit?'
'Niet echt.'
'Nicholas?'
Dré keek naar Jorg. Jorg keek op. 'Nicholas?'
'Wat is hij voor iemand? Behalve dan iemand waar ik voor moet uitkijken.'
'Het spijt me. Ik kan geen verdere informatie geven.'
'Dus hij kan het gedaan hebben?'
'Dat weten we niet. Ga in elk geval niet op uitnodigingen van hem in. Of van anderen.'
'Wie nog meer? Evelin? Martin?'
'Evelin,' herhaalde hij nadenkend. 'Ik zou het niet weten. We weten niet waar ze is. Wat Martin betreft zou ik mijn waarschuwing willen herhalen. Blijf uit zijn buurt.'
'Wat bedoel je daarmee?'
'Ik denk dat je dat wel weet.'
'Ja. Hij gebruikt mensen. Vrouwen vooral. Maar dat zal wel niet het enige zijn.'
Jorg ging er niet op in.

'Hij heeft Renée ook benaderd. Daarna hielden ze contact.'
'Dat is bekend, ja.'
'Hij kan een afspraak met Renée hebben gehad bij het Grotelse Bos.'
'Mogelijk.' Jorg bladerde onrustig door de papieren, maar keek er niet naar.
'Verdenken jullie ook Chris?'
'Zover zijn we nog niet. Voorlopig praten we alleen met iedereen die Renée heeft gekend. Ook met Chris.'
Julia dacht erover na. Ze dacht aan Chris. Aan de manier waarop hij haar kon aankijken. Aan zijn toewijding aan Meggie.
'Ik geloof niet dat hij het heeft gedaan. Ik geloof ook niet dat hij weet wie erachter zit.'
'We moeten overal rekening mee houden.'
'Weet ik.'
Toen Julia het bureau verliet had ze genoeg om over na te denken. Ze had geen bescherming gevraagd. Misschien zou ze die niet hebben gekregen. Jorg had wel gevraagd of ze haar mobieltje aan hem wilde geven omdat ze dan de herkomst van de telefoontjes wellicht konden achterhalen. Ze had het niet gedaan omdat ze hem nog nodig had. In plaats daarvan had ze hem laten weten waar ze zou zijn en dat ze hem de volgende dag haar mobieltje zou bezorgen. Veel zou het waarschijnlijk ook niet uithalen. Als de telefoontjes werkelijk goed na te trekken waren geweest, dan hadden ze nu ook wel geweten wie Renée had gebeld. Ze geloofde niet dat ze dat wisten. Eén dag kon het dus wel wachten. Waarschijnlijk had Martin gelijk. Degene die haar had belaagd wilde haar niet dood. Nog niet in elk geval. Of het nu de Martin zelf was of iemand anders. Wat hij wel wilde was onduidelijk.

12

Chris zat met Meggie in de kamer toen Julia daar aankwam. Ze zag hen allebei op de bank zitten. Zij zagen haar niet. Ze keken naar een tekenfilm. Meggie leek haar trouwens nooit te zien. Behalve dan die ene keer. Toen ze kwaad was.

Pas toen ze had aangebeld, keek Chris naar buiten. Het leek alsof hij schrok, maar meteen daarna lachte hij naar haar. Hij stond op en deed de deur voor haar open met nog steeds die glimlach, maar het viel haar op dat het alleen zijn mond was die de lach liet zien. De rest van het gezicht was strakgespannen. Groeven tekenden zich diep af in zijn grauwe gelaat. Hij zag er moe uit.

'Meggie was gestoken in haar been,' zei hij toen ze de kamer binnenliepen.

'Dat zei je, ja.' Julia keek naar het verband om het magere beentje.

'Met het aardappelmes. Het lag op de grond, naast haar.'

'Vingerafdrukken?'

'Nee. Ze hebben het meegenomen.'

Meggie staarde naar de cartoons. Haar benen wipten in een vast ritme van voor naar achteren en terug.

'Heb je alles gemeld?' vroeg Chris.

Julia knikte.

'Goed.'

Ze praatten erover. Over datgene wat er was gebeurd. Over Evelin en Renée. En natuurlijk over Martin. Of Nicholas. Over Andrea praatte Julia niet. Dat ging niemand iets aan. De werkwijze van Martin was bij Chris toch wel bekend. Ook zonder dat Andrea werd besproken.

Veel verder kwamen ze niet. Geen oplossing en geen ideeën. Alleen wat praten, hangend op de bank, wijn drinkend en starend naar de televisie. Geen van hen zou achteraf kunnen zeggen welk programma erop was geweest.

Meggie was na de cartoons teruggegaan naar haar eigen poppenhoek en speelde daar met kralen. Rijtjes maakte ze dit keer. Steeds opnieuw. Julia merkte dat het haar een beetje op de zenuwen werkte. Ze kon niet zeggen waarom.

Net zomin zou ze iemand kunnen uitleggen hoe het kwam dat ze op een bepaald moment tegen Chris aanzat en dat hij haar af en toe aanraakte als hij iets vertelde. Ze wist alleen dat het vertrouwd voelde. Warm. Behalve dan sommige momenten. Dan voelde ze dat Meggie naar hen keek. Misschien met dezelfde woedende uitdrukking die ze de vorige dag had gezien. Julia probeerde zo onverwacht en onopvallend mogelijk naar het meisje te kijken als ze zoiets vermoedde. Iedere keer was het kind haar voor. Dan staarde ze weer onbewogen met dat emotieloze gezicht naar de kraaltjes.

Julia kon niet ontkennen dat ze opgelucht was toen het meisje naar boven moest. En toch was er ook dat andere gevoel. Iets dat ze niet kon plaatsen. Medelijden. Misschien was het dat wel. Op de een of andere manier leek Meggie eenzaam. Klein, stil en eenzaam. Een klein vogeltje dat in de hoek wachtte op de kat.

Ze schudde het van zich af toen Chris weer bij haar kwam. Hij ging niet meteen zitten. Een moment lang keken ze elkaar alleen maar aan.

'Julia ik…' Ze las iets in zijn ogen. Verlangen misschien. Het beangstigde haar.

Ze stond op. Ze stond heel dicht bij hem. Hij legde zijn hand op haar schouder en keek recht aan. 'Julia…' Zijn hand masseerde haar schouder. Eerst zacht, later harder. Hij deed haar bijna pijn, maar leek het niet te merken. Ze voelde zijn adem in haar gezicht. Ze huiverde en schudde haar hoofd. 'Nee.' Ze zette een paar stappen achteruit.

Zijn hand ontspande zich. Hij schudde zijn hoofd. 'Natuurlijk niet,' zei hij. 'Je hebt gelijk. Ik weet niet waarom ik het opeens wilde. Waarom ik je opeens wilde vasthouden. Kussen. Je tegen mij aanvoelen. Het is zinloos.' Hij draaide zich om en liep met gebogen schouders naar het raam.

'Ik zou het niet eens kunnen,' zei hij, terwijl hij naar buiten keek.

De seks was niks. Dat heeft ze mij een keer gezegd. Hij bakte er niets van in bed.

Meggie draaide onrustig in haar bed. In haar droom zag ze de blonde vrouw opnieuw. Ze was stom. Maar haar hoofd deed pijn toen ze die klap kreeg. Dat was niet goed. Haar hoofd deed pijn. En toen kwam het zand. Al dat zand erover. Meggie schrok wakker en keek naar de donkere schaduwen op het plafond. Er ging nog iets gebeuren. Ze wist wat. Ze gilde en greep haar hoofd vast. Haar hoofd deed zo'n pijn.

Julia zag de schok door het lichaam van Chris gaan toen het meisje gilde.

'Meggie,' zei hij gejaagd. Hij rende de kamer uit. Julia keek hem na. Ze hoorde hem de trap omhoog rennen, deuren open- en dichtgaan en daarna zijn geruststellende woorden tegen het meisje. Even leek het alsof het kind bleef gillen.

Toen ze de gang opliep klonk het gillen nog maar gedempt.

Ze ging naar boven, naar de kamer van Meggie en bleef in de deuropening staan. Chris hield het meisje strak tegen zich aan en wiegde zacht op en neer. Het meisje huilde nu alleen nog maar. Ze lag opgerold in zijn alles omvattende armen. Over zijn arm heen waren haar ogen op Julia gericht. Niet op haar gezicht, maar gewoon op haar hele wezen. Een starende blik waaruit weinig op te maken viel. Behalve dan dat ze Julia liever weg wilde hebben. Julia wist niet hoe ze die conclusie uit die bodemloze ogen had kunnen trekken. Misschien bracht het meisje alleen een gevoel over.

'Ik ga naar huis,' zei ze.
'Ik begrijp het.'
'Niet vanwege... nou ja.'
'Het maakt niets uit.'
'Ik bel je morgen.'
'Ja.' Nog steeds dezelfde vermoeidheid in zijn stem.
Hij keek niet meer op toen ze vertrok. Hij keek alleen naar Meggie.

13

Het was middernacht en donker toen Julia naar huis reed. Niet gewoon donker, maar zwart. Bewolking hield het licht van de maan tegen en niemand leek zin te hebben om zich in de inkt zwarte duisternis te begeven. Slechts nu en dan ontmoette ze de koplampen van een andere auto, die door de regen heen enigszins de schijn van licht probeerden op te houden. Harde wind trok van tijd tot tijd aan de Jeep. Het was een onprettige nacht.

Misschien schrok Julia daarom toen haar mobieltje overging. Ze merkte dat haar vingers het stuur krampachtig omvatten en dat haar keel samentrok, waardoor het leek alsof een droog stuk brood erin bleef steken. Toch nam ze op.

'Is het wel verstandig om midden in de nacht alleen over straat te rijden?' vroeg de stem aan de andere kant. Ze kende hem. Ze had hem vaker gehoord.

Ze gaf niet meteen antwoord, maar keek in de spiegel. Achter haar waren twee koplampen zichtbaar.

'Wie ben je?' vroeg ze. Ze wist dat ze op die vraag geen antwoord zou krijgen.

De stem lachte bijna. 'Vooral nu het zo donker is. Je moet je wel eenzaam voelen.'

'Donder op!' Ze wilde kwaad worden. Ze wilde dat droge gevoel in haar keel kwijtraken. In haar spiegel zag ze de koplampen naderen.

'Wat vond je van de foto's?'

'Leuk'

Waarom werd ze niet kwaad? Waarom voelde ze alleen die misselijkmakende kramp in haar maag en kon ze die koplampen achter zich niet negeren.

'Wat dacht je ervan als we samen eens gingen spelen?'

'Speel maar met jezelf.' Ze legde een harde klank in haar stem.

De koplampen waren nu vlak achter haar.

'Dat is niet erg aardig.'

'Ik ben niet aardig.'

'Dan hebben we toch iets gemeen.'

De auto achter haar kleefde bijna aan haar bumper. Ze probeerde te zien welke auto het was. Het lukte niet. Het felle licht van de lampen scheen in de spiegel en verblindde haar bijna.

'Nee. Jij bent een lafbek.'

Het was even stil aan de andere kant van de lijn. De auto achter haar raakte haar bijna. Plotseling gaf hij gas en reed hij haar voorbij. Het was een donkere auto. Ze zag niet wie er aan het stuur zat.

'Ik denk toch van niet,' zei hij weer.

Julia staarde naar de rode achterlichten van de auto voor haar. Ging hij langzamer rijden?

'Ik denk het wel. Alleen lafbekken laten zich niet zien.'

'Wie zegt dat ik mij niet aan jou laat zien.' De auto voor haar ging langzamer rijden.

'Heb je Renée vermoord?'

'Renée? Waarom denk je dat?'

'Heb je het gedaan?'

'Je kunt wel merken dat je een journalist bent. Altijd maar vragen stellen. Stel je in bed ook zoveel vragen?'

'Het gaat je geen ene moer aan wat ik in bed doe.' De auto reed nu vlak voor haar.

'Bij mij stel je geen vragen. Ik hou niet van vrouwen die vragen stellen.'

'Pech gehad' Julia liet het gas los en keek uit naar zijwegen. Misschien moest ze een weg in glippen. Maar was hij dan niet sneller?

'Vrouwen moeten luisteren. Ik zorg er wel voor dat ze geen vragen stellen.'

'Door ze om te brengen?' vroeg Julia scherp.

Waarom legde ze niet op?

Hij lachte kort. 'Natuurlijk niet. Er is toch niets aan met een lijk. Zo stompzinnig slap. Daar hou ik niet van. Een vrouw moet vechten. Vechten en dan toch gebroken worden.'

'O, je vermoordt ze daarna?'

'Zeg eens Julia, hou je van pijn?'

'Je bent ziek.' Julia merkte dat haar stem schor klonk. Ze moest nog meer gas terugnemen om niet tegen haar voorganger aan te rijden. Ze reed nu nauwelijks 50 kilometer per uur. Ze overwoog om hem in te halen, maar ze deed het niet. Ze was vrijwel zeker dat hij dan gas zou geven. Ze bleef achter hem.

'Wat moet je van mij?' vroeg ze.

'Wat denk je?'

'Rij je daarom zo langzaam?'

'Ik weet niet wat je bedoelt.'

'Je rijdt verdomme voor me. Zeg wat je van me wilt!' Ze schreeuwde nu. De kramp in haar maag ontnam haar de adem. Haar vingers klemden zich zo strak aan het stuur vast dat haar knokkels wit waren.

'Je vergist je, schatje. Ik rij niet voor je.'

'Je liegt.' Julia keek met samengeknepen ogen naar de auto voor haar. Zaten er twee mensen voorin? Ze kon het niet goed zien.

'Ik heb geen reden om te liegen. Ik zou trouwens wel voorzichtig zijn. Tegenwoordig rijdt er van alles door de nacht. Dat moet jij toch weten. Tenslotte ben je journalist.'

Ja, dat wist ze. Ze wist dat er mensen waren die er genoegen in schepten andere automobilisten te terroriseren. Had ze daar nu mee te maken? Uitgerekend nu?

'Jij bent het,' zei ze.

'Nee.'

'Hoe weet je anders dat ik hier rij?'

'Liefste Julia met je mooie blauwe ogen, ik weet alles van je.

Waar je nu rijdt en waar je nu bent.'

'Waar ben je?'

'Wie zal het zeggen. Tot dadelijk.' De verbinding werd verbroken. De auto voor haar bleef langzaam rijden. Ze overwoog opnieuw om hem in te halen. De donkere auto ging nog
langzamer rijden.

Julia liet het gas los. De auto zakte terug. Plotseling gaf ze
stevig gas en reed haar voorganger voorbij. In het voorbijgaan probeerde ze naar binnen te kijken. Ze zag niets.

Ze hield het gas diep ingedrukt en wachtte op het moment
waarop de ander gas zou geven. Dat gebeurde echter niet.

Veel te snel reed Julia naar de Ospelsedijk. In de spiegel zag
ze nog steeds twee koplampen. De afstand tussen haar en de
koplampen werd steeds groter. Toch stelde haar dat niet gerust.

Ze zag hem niet meer toen ze haar eigen straat inreed. In de
kamer van Ian zag ze licht branden. Blijkbaar was hij thuis
en nog wakker. Dat luchtte haar op. Ze wilde niet alleen in
een donker, koud huis thuiskomen. Niet in een nacht als deze.

Ze parkeerde de auto voor de deur en keek vluchtig of ze de
andere auto nog zag. Hij was er nog steeds niet. Toch haastte ze zich toen ze uitstapte en naar de woning liep. Haar hand
trilde zelfs een beetje toen ze de deur opende. Ze kon het niet
laten om nog een keer achter zich te kijken. Ergens hoorde ze
een auto. Hij reed langzaam. Ze zag hem niet.

De pijn in haar maag verdween niet direct toen ze de woning
binnenkwam. Ze hoorde de muziek in de kamer van Ian, maar
geen stemmen. Misschien was hij alleen, hield ze zich voor.
Ze kon niet voorkomen dat ze in een flits zijn dood zag. Hij
lag voorover op de tafel, zoals Peter destijds. Ze kokhalsde.

'Ian!'

'Geen antwoord. Alleen die muziek. Wat was het? *Born to be
wild?*

'Ian!' Ze rende de kamer binnen. Ian lag op de bank. Naast
hem lag een fles bier die uit zijn hand gerold was. De cd-spe-

ler stond luid en brulde het rocknummer.

De pijn in haar maag trok door naar haar rug, alsof ze in een uur tijd een maagzweer had ontwikkeld. 'Verdomme, Ian.' Haar ogen gleden over het slappe lichaam. Er was geen bloed.

Ze liet zich op haar knieën naast hem vallen en greep zijn schouders vast. 'Ian!'

Ian kreunde. Traag opende hij zijn ogen. Hij kreunde opnieuw. 'Wat is er?'

'Wat is er gebeurd?' vroeg ze

Ian keek haar verdwaasd aan, knipperde een paar keer met zijn ogen en liet toen zijn blik door de kamer glijden, alsof hij hem voor de eerste keer zag. 'Niets.'

'Niets?'

'Ik ben in slaap gevallen. Shit. Hij kwam overeind. 'De foto's. Ik moet ze nog ontwikkelen. Voor morgen. Shit.'

Het drong eindelijk tot Julia door. 'Je bent in slaap gevallen?'

'Wat anders?'

'Verdomme Ian, ik dacht dat er iets was gebeurd.'

'Iets gebeurd? Ik ben in slaap gevallen en dat is verrekte stom. Dat is er gebeurd.'

'Is er iemand geweest of heb je nog telefoontjes gekregen?'

'Nee. Waarom?' Hij was nu helemaal wakker. Er lag achterdocht in zijn vraag.

'Ik heb een vervelend telefoontje gehad. Onderweg. Ik geloof ook dat hij mij volgde.'

'Wie?'

'Weet is niet. Ik denk dat het Nicholas was.'

'Nicholas? Waarom?'

'Niet zo aardig,'zei ze zacht.

'Wat?'

'Hij was niet zo aardig. Dat zei hij.'

'Ik heb je gezegd om niet alleen te gaan.'

'Hij heeft Renée vermoord.'

'Zei hij dat?'

'Nee, maar ik weet dat het zo is. Verdomme, ik zou willen dat hij zijn gezicht liet zien.'

'Waarom?'

'Hij weet wie ik ben. Hij ziet me, hij volgt mij. Hij weet wat ik doe. Maar ik weet niets van hem. Hij blijft onzichtbaar. Hij kan iedereen zijn.'

'Dat is zijn kracht. Waarschuw de recherche. Jorg, Dré, weet ik het.'

'Morgen.'

'Nee nu.'

'Ik heb geen privé-nummers.'

'Ga in elk geval het huis niet uit, voordat je hen hebt gebeld.'

'Nee.'

'Iets drinken?'

'Ja.'

Julia bleef langer dan een uur bij Ian. Het liefste was ze op zijn versleten bank blijven zitten totdat het eerste daglicht weer was doorgekomen, maar ze deed het niet. Toen ze weer naar boven wilde, liet Ian haar gaan. De hele nacht zou hij werken aan zijn foto's. Niemand kon ongezien de woning in, verzekerde hij haar. Voor Julia was dat voorlopig genoeg. Morgen zou ze de recherche bellen. Meteen als ze wakker werd.

Julia had het gevoel dat haar kamer nog nooit zo ontoegankelijk was geweest als nu. Ze zag vrijwel niets en de kou omhelsde haar al toen ze de bovenste traptreden had bereikt. Ze onderdrukte de neiging om zich om te draaiden en liep door. Haar maagpijn was minder geworden, maar haar keel voelde nog steeds droog aan. Haar hart begon sneller te kloppen en haar handen trilden. Onmiskenbaar presenteerde het eerste gevoel van lichtheid zich in haar hoofd. De aanvallen waarvan ze had gedacht dat die voorgoed voorbij waren. Ze lagen vlak onder de oppervlakte, klaar om tevoorschijn te komen en die allesoverheersende paniek de overhand te laten nemen. Ze balde haar vuisten. Geen paniek. Nooit meer. Haar benen waren slap terwijl ze tastend in de duisternis de lichtschakelaar vond. Meteen toen ze hem had ingedrukt baadde de kamer in een zonnig geel licht. Ze knipperde met haar ogen en keek de kamer rond. Alles stond gewoon op zijn plaats. De meubels in het midden, de kranten verfrommeld aan de kant en de drogende, witte verf met daarop een steenharde kwast. Het vage roze was opdringerig aanwezig, maar er was niets nieuws. In elk geval niet iets dat ze zag. Vaag meende ze een onbekende geur te herkennen en ze stelde zich voor hoe hij hier door haar woning had gelopen. Misschien had hij haar laden opengetrokken en naar de inhoud gekeken. Wie weet had hij zich zo een beeld van haar leven gevormd.

Meteen schudde ze die gedachte weer van zich af. Er was niemand in de woning. Was dat niet precies wat hij wilde? De angst die ze voelde, de paranoia? Was dat niet wat stalkers meestal wilden?

Ze haalde een paar keer diep adem en telde daarbij. Rustig inademen, rustig uitademen. Er is niets. Haar hoofd voelde nog licht aan en haar handen trilden. Er is niets.

Ze stopte en keek naar de muur. Morgen zou ze het afmaken. Ze draaide de verwarming hoger en ging naar de badkamer. De radiatoren tikten vertrouwelijk. Ze wilde naar bed, maar eerst moest die vreselijke kou verdwijnen. Ze kon niet slapen met die kilte en duisternis.

Ze liet de lamp in de woonkamer aan toen ze naar haar slaapkamer ging. Hoe lang was het nu geleden dat ze dat had gedaan? Tien jaar geleden? Haar stiefvader had daar altijd om gelachen. Het had hem nooit tegengehouden.

Julia kleedde zich uit en wilde in bed stappen. Toen pas zag ze het briefje. Het slordige schrift herkende ze.

'Slaap lekker,' stond erop.

Hij was binnen geweest. Misschien toen ze beneden bij Ian was. Ongemerkt was hij binnen geweest.

Julia staarde naar de letters, verfrommelde toen woedend het papier en gooide het op de grond.

Ze bleef gespannen recht staan en keek haar kamer rond. Regen sloeg tegen de ruiten en roffelde op het dak. Bij iedere beweging verstarde Julia. Na een paar tellen liep ze naar de keuken en dronk gulzig een paar slokken wijn uit de fles.

Ze schrok van het geluid van de telefoon, maar toch nam ze op.

'Je hebt het briefje gelezen. Fijn.'

'Val dood.' Ze verbrak de verbinding en dronk opnieuw wat wijn. Ze keek naar de ramen. De gordijnen waren dicht. Hij had haar niet kunnen zien. Het kon niet.

Misschien is hij nog binnen.

Julia schudde haar hoofd. Ze nam opnieuw een slok en liep haar woning door. Er was helemaal niets. Even luisterde ze aan de trap. Ze hoorde Ian. Hij rommelde in zijn kamer. Ze moest het hem zeggen. Ian moest weten dat hij binnen was geweest toen ze beneden zaten. Of was het eerder gebeurd? Toen Ian sliep en zij bij Chris was? Kon dat? De auto had achter haar gereden, maar misschien was hij eerst in haar woning geweest. Of was het werkelijk niet zijn auto geweest? Ze dronk weer. Ze voelde hoe de loomheid zich in haar lichaam verspreidde en de verkramping van haar spieren oploste.

Ze liep de kamer en de slaapkamer rond en controleerde opnieuw de gordijnen. Geen streep licht ging erdoor naar buiten. Hij blufte. Boven haar kraakte hout. Julia vloekte. Er was niets boven haar. Alleen hout. Hij had haar niet gezien. Was het niet logisch dat ze het briefje zou lezen als ze naar bed ging? Zou hij dat ook niet hebben geweten zonder haar gezien te hebben? Ze dacht van wel. Alleen moest hij dan wel hebben geweten dat ze nu thuis was. Dat betekende dat hij in de buurt was. Julia nam een nieuwe slok en ging terug naar bed. De fles wijn nam ze mee. Ze ging niet naar Ian. Er was niets wat hij nu kon doen. Behalve kwaad worden.

Voordat ze ging liggen dronk ze nog een keer. De angst ebde weg.

'Je drinkt teveel.' Hoe vaak had ze dat gehoord? Het deed er niet toe.

Het was bijna ochtend toen ze eindelijk in slaap viel.

14

Veel te vroeg ging haar mobieltje over. Julia wilde niet opnemen. Ze had hoofdpijn. Ze probeerde de beltoon te negeren, maar het geluid leek tot in haar hoofd door te dringen. Ze draaide onrustig in haar bed. 'Ga weg,' mompelde ze. Ze kneep haar ogen dicht. 'Ik wil slapen.'

De ander gaf het op. Julia ging op haar zij liggen en keek naar haar mobieltje. Het onvermijdelijke drong zich nu aan haar op. Ze wilde weten wie er gebeld had.

'Doe niet zo belachelijk,' hield ze zichzelf voor. 'Ik kijk straks.' Ze draaide zich om en sloot haar ogen. Een paar tellen maar. Toen wendde ze zich weer tot het toestel.

Alsof het daarop had gewacht, ging het opnieuw over. Julia schrok onwillekeurig. Ze wachtte even en luisterde naar de afwisselende tonen waarmee het toestel overging. Ooit had ze dat leuk gevonden. Nu was het slechts een opdringerig geluid dat niet wilde wijken. Dat gehoord wilde worden. Ze kwam half uit bed en keek naar de display. Ze kende het nummer niet. Toch nam ze het gesprek aan. 'Luister eens…' wilde ze zeggen.

Ze kwam niet verder dan die eerste woorden.

'Met Jolien.' De vrouwenstem klonk neurotisch en rauw. De lijn kraakte.

'Jolien?'

'Ik weet…' Opnieuw gekraak. Iets klikte een paar keer.

'Jolien? Ik hoor je bijna niet.'

'Ik weet… is.' De lijn viel steeds weg. Julia kon haar nauwelijks verstaan.

'Jolien. De lijn is slecht. Kun je opnieuw bellen?'

'Geen tijd. Ik weet wie hij is.' Het klonk veraf, maar Julia had de woorden dit keer verstaan. 'Nicholas.'

'Nicholas? De broer van Chris?'

Jolien zei een paar keer iets. Het duurde enige tijd voordat Julia begreep wat ze zei. 'Ik weet waar hij is.'

'Waar Jolien?'

'Niet nu.' De lijn kraakte opnieuw. Plotseling viel de verbinding weg.

'Jolien!' riep Julia in het toestel. Ze wist dat de kapster haar niet kon horen. Ze klemde het toestel vast en staarde ernaar, 'Jolien.'

Waardoor was de verbinding verbroken?

Julia vloekte. Ze zat nu rechtop in bed en was klaarwakker. Alleen haar hoofd protesteerde. De telefoon ging opnieuw over. Julia staarde ernaar. Geen nummervermelding. Ze slikte een paar keer en nam weer op. Het was Jolien weer.

'Ik weet waar ze zijn,' zei ze meteen. Haar stem kraakte en sloeg over. Ruis op de lijn maakte haar moeilijk verstaanbaar.

'Waar?'

'Niet nu. Kom naar me toe.'

'Ik kom.'

'Niet thuis. Het is daar niet veilig.' De rest van haar verhaal verdronk weer in een zee van bijgeluiden.

'Ik hoor je niet, Jolien.'

'De Kanthoeve.' Het klonk helder.

'Welk nummer?'

'Ik bel je.' Meteen daarna werd de verbinding verbroken.

'Hoe kan ze in godsnaam daarheen gaan,' mompelde Julia. *Ze is de volgende.*

Ze kwam overeind en deed haar oude jeans en een te ruim sweatshirt aan. Ze huiverde. De verwarming stond aan, maar ze had het koud. Ze voelde een golf van misselijkheid en bleef stilstaan. De hoofdpijn trok door tot in haar nek. 'Ga weg,' mompelde ze. Ze masseerde een paar tellen haar nek totdat de scherpe pijn minder werd.

Ze trilde nog een beetje toen ze haar schoenen aandeed, maar de misselijkheid verdween. Dat haar benen week aanvoelden door vermoeidheid negeerde ze. Ze ging naar beneden en bleef een paar tellen voor Ians deur staan. Ze hoorde helemaal niets. Besluiteloos wachtte ze even. Toen ging ze toch naar binnen en keek de kamer rond. Vrijwel meteen zag ze dat de schoudertas weg was. De sleutels van de motor waren verdwenen. Op de bar stond een halflege koffiemok en in de asbak smeulde een peuk. Ian was blijkbaar gehaast vertrokken. Waarschijnlijk vanwege de foto's.

Ze pakte een brief en vond na lang zoeken een stuk potlood. 'De Kanthoeve,' schreef ze erop. Het was de eerste keer dat ze aangaf waar ze heenging en ze wist ook niet precies waarom ze dat nu deed. Misschien omdat ze het laatste gesprek met Ian niet was vergeten. En misschien wel omdat hij gelijk had, al zou ze dat nooit toegeven. Ze legde het briefje op de kist die als tafel dienstdeed en liep de woning uit. Ian zou kwaad worden. Ze had hem iets beloofd. Ze zou het nog wel doen, hield ze zichzelf voor. Later.

Ze zag de man meteen staan toen ze buitenkwam. In een eerste reactie wilde ze terug naar binnen gaan en de deur sluiten. Ze deed het niet. In plaats daarvan stapte ze in de auto en reed weg. In haar spiegel zag ze dat de man in een zwarte Opel Omega stapte. Hij wachtte.

Julia reed de hoek om en keek nog een paar keer in de spiegel. Ze zag hem niet meer.

Ze reed regelrecht naar de Kanthoeve. De ruime parkeerplaats was vrijwel verlaten. Slechts hier en daar stond een eenzame auto tussen de witte strepen, alsof hij ter decoratie was neergezet.

Julia stapte niet uit. Ze keek om zich heen en voelde zich alleen. Geen mens te zien. Het witte gebouw met de puntige daken leek gesloten. Het regende niet meer, maar de lucht was grijs en somber, alsof hij weinig goed voorspelde. Ze moest hier zijn, maar wist niet waar ergens.

Een tijd lang bleef ze zitten. Helemaal niets gebeurde. Onrustig keek ze rond. Niemand. Ook Jolien niet.

Zij is de volgende.

Ze schudde heftig haar hoofd en stapte uit. Naast de Jeep bleef ze staan en luisterde naar het verkeer dat oneindig ver van haar verwijderd leek. Vogels tjilpten voorzichtig, alsof ze bang waren dat hun zang een nieuwe bui zou doen neerstorten. Boomtakken kraakten.

De slagbomen waren gesloten en leken dat te willen blijven. Lege vakantiehuizen wachtten op hun eigenaars. Een verlaten dorp.

Julia passeerde de witte liggende bomen en liep het park in. Ze staarde naar de borden en naar de nummers die de route aangeven. Haar telefoon piepte alsof hij daarop had gewacht. Julia las het bericht. 904c. Meer stond er niet. De afzender was onbekend. Natuurlijk.

Achterin. Ze wist het al voordat ze de plattegrond bij de ingang had bekeken. Ze moest helemaal achterin zijn.

Ze hoorde haar eigen voetstappen toen ze over de verharde paden liep. Ze keek naar de houten en stenen huizen. Sommige verbouwde stacaravans hadden hun beste tijd gehad, maar de meeste huizen waren nooit een stacaravan geweest. Ze waren opgetrokken uit steen en hadden de allure van een villa of ze bestonden uit hout en moesten de indruk van Scandinavische gezelligheid wekken. Bijna overal waren de gordijnen gesloten. Ergens verderop zag ze mensen. Ze letten niet op haar. Julia liep door naar achteren. Tussen de bomen en struiken stonden twee plastic containers op een onverhard pad, dat leidde naar een klein huisje. Het was nauwelijks zichtbaar achter de andere vakantiehuizen die direct aan het verharde pad lagen. Het stond bijna tegen de omheining van het vakantiepark aan. Nummer 904c. Aarzelend bleef ze op de kleine oprit staan. Het hout van de kleine woning was donkerbruin grijs gemêleerd door de lange blootstelling aan zon en regen. De ramen waren donker. Vaag waren gordijnen zichtbaar. Het gras was lang niet gemaaid en onkruid overheerste. Julia pakte het mobieltje in haar hand en toetste het nummer van Ian in. Ze belde niet. Nog niet.

Met het toestel als een wapen in haar hand liep ze door. Ze zocht naar een bel bij de deur, maar vond hem niet. Niemand reageerde op haar kloppen. Ze aarzelde. Jolien had van hieruit gebeld.

Was het wel Jolien?

Het was een vrouw geweest. Jolien of misschien Evelin?

Iedereen krijgt een andere naam

Nicholas of Martin. Jolien of Evelin. Waarom had ze daar niet eerder aan gedacht?

Evelin wist alles. Was ze daarom verdwenen? De stilte in de woning had een reden moeten zijn om weg te gaan. Ze deed het niet. In plaats daarvan opende ze de deur. Hij was niet gesloten.

Meteen viel haar de geur van vochtig papier en aarde op. De inrichting was opmerkelijk fris voor een woning die van buiten zo slecht werd onderhouden.

Rechts een witte kunststof tafel met klapstoelen in verschillende kleuren, links een zwarte salontafel met uitgeklapte tafelbladen in de vorm van een zwarte bloem, twee fauteuils bedekt met een blauwe stof in een bijna onzichtbaar dessin en een lichtblauwe sofa. Tegen de wand leunde een zwarte boekenkast met in het verlengde een televisiemeubel van hetzelfde materiaal en in dezelfde stijl. De kachel in het midden verspreidde een vage warmte. In de asbak lagen drie filterloze peuken en bij de poot van de tafel stond een halflege fles rum. Een plakkerige kring liet zien waar het glas had gestaan voordat het op het kunststof aanrechtblad was gezet. De kastjes zagen er vreemd uit. Wit met zwarte randjes als grote rouwkaarten zonder inhoud. Ze zou de keuze zelf nooit hebben gemaakt, maar blijkbaar was het modern. Het paste bij Jolien. Alleen was Jolien er niet. Niet hier.

Julia riep een paar keer haar naam. Ze hoorde haar eigen stem en merkte dat die vreemd hol klonk, alsof ze in een put zat. Het droge gevoel kwam weer terug in haar keel.

Ze weifelde voordat ze in de richting van de gesloten deuren aan de andere kant van het vertrek liep. Ze wist niet zeker of ze daar werkelijk iets wilde aantreffen. Jolien bijvoorbeeld, die een goede reden had om geen antwoord te geven. In een flits zag ze Renée, zoals ze uit het zand werd gehaald. Dat slappe lichaam, bedekt met modder en zand. Waar was Jolien? Vlak voordat ze de eerste deur opende, meende ze iets bij het raam te zien. Ze draaide zich met een ruk om keek ernaar. Er was helemaal niets. Niet overtuigd liep ze naar het raam en keek naar buiten. Het natte gras werd beetje voor beetje bedolven onder een laag bladeren. Hier en daar kwam een paddestoel tevoorschijn en kondigde de herfst aan. Twee eksters maakten ruzie. Er was niets anders. Julia merkte dat ze sneller was gaan ademhalen en probeerde tot rust te komen. De telefoon rustte nog steeds in haar hand. Ians nummer stond op de display. Ze hoefde de toets met het groene telefoontje maar in te drukken.

Ze haalde diep adem en liep weer naar de deur. Ze hoorde iets, maar wist niet waar het geluid vandaan kwam. Gespannen opende ze de deur. Voor haar lag een kleine hal. Drie deuren. Een ervan was van glas en keek uit op een kleine achtertuin waarin de bloempotten door klimop en brandnetels voor een groot gedeelte werden bedekt. Bruine stengels die ooit planten waren geweest staken als knokige vingers omhoog. Rechts zag ze nog net de voorkant van een houten hok. Het hout was net zo verweerd als dat van de woning, maar Julia geloofde niet dat het van binnen ook zou meevallen. Door de kleine openingen in het hout zag ze slechts duisternis. Er was geen raam. Ook hier was niemand.

Rechts en links van haar waren ook deuren. Ze maakte eerst

de linkerdeur open. De badkamer die ze zag was opvallend luxe voor een vakantiewoning als deze. Een badkuip op poot- jes, een moderne douchekop met massagestralen, een wasta- fel op pilaar en een zwevend toilet. Er stonden geen persoonlijke dingen. Zeep, washandjes en handdoeken leken regelmatig gebruikt, maar geen potjes crème, make-up of andere dingen. Niets wat erop wees dat het vakantiehuis werd gebruikt. Alsof ze in een showroom rondliep. Ze sloot de deur en voelde de kille maagpijn toenemen. Eén deur nog.

Ergens hoorde ze iets. Ze keek om zich heen. Naar buiten en terug de kamer in. Niemand liet zich zien. Eén kamer nog. Als Jolien werkelijk hier was…

Julia opende de deur. Het mobieltje hield ze in haar hand geklemd. Het witte bed waar ze naar keek was leeg. Het was een modern bed met spijlen, dat deed denken aan de bedden van vroeger, maar dit was niet van ijzer maar van kunststof. Een blauwe hoes in een wolkenpatroon verborg een donzen dekbed. De witte nachtkastjes waren leeg op twee onpersoonlijke lampjes na. De kast was dicht. Julia voelde een bijna onbedwingbare neiging om de kast open te maken en erin te kijken. Ze kon zich niet voorstellen dat er werkelijk kleren in lagen. Net als de rest moest hij ook leeg zijn. Alsof ze zich in een meubel- winkel bevond en alles slechts was neergezet om naar te kun- nen kijken. Ze riep Jolien niet toen ze toch naar de kast liep. Ze hoorde ook niet wat er achter haar gebeurde. Pas toen het te laat was, merkte ze het. Ze kreeg de kans niet om te kij- ken. De harde klap op haar hoofd verspreidde een doffe pijn die ze maar heel kort voelde. Daarna werd alles zwart.

Meggie speelde met de kraaltjes. Ze maakte figuren in aller- lei kleuren. Het moest wel kloppen. Paars, wit, zwart en rood. Geen blauw. Blauw was niet goed. Ze legde de kraaltjes neer en vormde een ingewikkeld patroon. Het was gek. Als ze haar ogen een beetje samenkneep zag ze grote lijnen in verschillende kleuren. Paarse, witte, zwarte en rode lijnen. Onwillekeurig staarde ze vooral naar de rode lijnen. Ze wilde het niet, maar het gebeurde gewoon. Het rood leek in het zwart door te lopen. Als bloed in donker haar. Ze zag die vrouw weer voor zich. Donker haar. Opeens was er bloed in gekomen. Bloed in de donkere haren. Het gebeurde in een slaapkamer met wolkjes. Meggie gilde.

Chris was vrijwel meteen bij haar. Hij pakte haar vast en ze rook zijn gewassen hemd. Het voelde stijf en fris aan. Ze duwde haar neus erin en merkte dat haar vader haar steviger vastpakte. Eigenlijk wilde ze dat helemaal niet. Ze hield er niet van om zo stevig vastgepakt te worden. Ze wilde zich lostrekken, maar haar lichaam werkte niet zo goed mee.

Haar vader streelde door haar haren en praatte tegen haar. Ze wist niet goed wat hij zei. Ze zag nog steeds de vrouw met het donkere haar. Ze lag op de grond. Meggie wist waar. Ze had dat eerder gezien. Ze was bang. Bang dat papa zou weggaan. Dan zou Nicholas komen. Meggie rilde.

15

Julia kwam bij. Ze geloofde niet dat ze erg lang bewusteloos was geweest. De hoofdpijn was het eerste wat ze voelde. Ze wilde haar ogen openen, maar dat ging niet. Een ruwe doek was als een strakke blinddoek om haar hoofd gebonden. Ze kreunde gedempt. Het geluid bleef plakken achter de tape die haar mond afsloot. Ze wilde bewegen, maar haar armen verkrampten. Ze zaten vast. Een touw sneed scherp in haar polsen. Ze trok eraan, maar de snijdende pijn werd alleen maar erger. Ze was misselijk. Haar lege handen lagen tegen elkaar aan. Er was geen mobieltje meer.

Wat had ze trouwens kunnen doen? Ze kon niet praten. Ze probeerde opnieuw haar handen te bewegen. Het leek nu te lukken, maar het touw zat te strak om ze los te trekken. Het bleef hangen achter de gewrichten van de duim. Ze worstelde verder. Het plakband op haar lippen gloeide. Ze moest los zien te komen. Ze probeerde zich over de grond voort te bewegen. Misschien kon ze een scherp voorwerp vinden.

Ze schrok heftig toen haar haren plotseling werden vastgegrepen. Op de een of ander manier had ze geen rekening gehouden met de mogelijkheid dat ze niet alleen was. Hij was er nog. Of zij. Ze wilde aan Joliens stem denken maar haar hoofd deed te veel pijn. Ze voelde een andere hand over haar lichaam glijden. Hij zocht zijn weg naar haar borst en kneep er hard in. Julia wilde schreeuwen, maar haar mond kon niet bewegen. Ze kromp ineen. De misselijkheid nam toe. Ze voelde dat ze bijna moest overgeven, maar dan zou ze stikken in haar eigen braaksel. Ze bleef doodstil liggen en haalde adem door haar neus. Haar lichaam trilde terwijl de hand haar shirt kapot trok. De andere hand hield nog steeds haar haren vast. Hij trok haar hoofd naar achteren zodat iedere beweging pijn deed in haar nek.

Hij kneep opnieuw in haar borst. Hard en pijnlijk. Julia kromp opnieuw. Ze haalde uit en schopte naar de man die ze niet kon zien. Onmiddellijk kreeg ze een harde klap in haar gezicht. Ze sloeg tegen de grond en voelde haar hoofdpijn toenemen. Een nieuwe golf van misselijkheid overspoelde haar. De hand greep de haren steviger vast en trok haar hoofd zo strak naar achteren dat ze bang was haar nek te breken. Ze bleef dood-stil liggen.

Weer betastte hij haar. Ruw alsof hij een spons uitkneep. Julia verkrampte. Ze schopte niet. Er was maar één manier om dit te overleven. Misschien. Toegeven. Het was niet de eerste keer. Ze haalde rustig adem. Ze lette nergens anders op dan op haar ademhaling.

Een, twee, drie, een, twee drie, inademen, uitademen.

De hand gleed over haar buik. Nagels trokken sporen. Haar huid brandde. Ze haalde nog steeds adem.

Een twee drie, inademen.

Haar haren werden losgelaten. Twee handen knoopten haar broek los.

Nu. Goed mikken, in een keer.

Ze spande haar spieren, stelde zich voor waar hij zat en haal-de uit. Zo hard ze kon. Haar voeten raakte alleen lucht. De harde klappen kwamen meteen daarna. Haar jukbeenderen voel-den beurs aan. Haar hoofd klopte alsof het op springen stond. Weer een aanval van misselijkheid. Ze kokhalsde. De zure maaginhoud brandde in haar keel.

Slikken en ademhalen. Een, twee, drie. Niet overgeven. Ademhalen. Een, twee drie.

Lachte hij? Julia dwong zichzelf stil te liggen. De handen trok-ken haar broek uit. Iets kraste over haar been. Felle, venijni-ge pijn verspreidde zich op haar huid. Ze wilde schoppen, maar ze deed het niet. Rustig ademhalen.

Een, twee, drie.

Straks zou het voorbij zijn.

En dan?
Ze wilde niet denken. Alleen wachten. Het zou voorbijgaan. Ze voelde hoe haar slipje werd uitgetrokken. Een tijd lang gebeurde er helemaal niets. Ze wist dat hij er was en naar haar keek, maar ze voelde hem niet. Ze voelde zich koud en naakt. En ze was bang. Maar was dat niet precies wat die klootzak wilde?

Ademhalen. Kom op. Een, twee, drie. Niets laten merken.
Bijna als vanzelf probeerde ze de wei weer voor zich te zien. Een groen veld met madeliefjes, paardebloemen en klaproosjes. Ze was hier al vaak geweest. Langgeleden. Ze had verwacht dat ze de plek vergeten was, maar nu kwam het opeens als vanzelf tevoorschijn. Als een herinnering waarvan ze dacht dat die allang voorbij was. Niet vanwege de herinnering zelf, maar vanwege datgene waarvoor ze die plek had gecreëerd. Ze dacht dat ze alles vergeten was, maar ze vergiste zich. Het was er allemaal nog, vlak onder het oppervlak. Klaar om naar buiten te komen. Nu kon ze het gebruiken. Dat doen wat ze vroeger ook deed; dromen en wachten tot het over was. Ze zag het nog niet goed voor zich. Haar ademhaling moest rustiger. Ze kneep met haar ogen en probeerde de stank van vocht te veranderen in een bloemengeur.

Een, twee drie.
De misselijkheid verdween nog niet, maar werd iets minder. Net als de pijn.

Haar benen werden uit elkaar geduwd. Geknepen eigenlijk. Ze negeerde de pijn en dacht hardnekkig aan de wei. Het moest lukken.

Ze voelde bijna het gras om zich heen groeien. Het harde hout onder haar rug werd zachter, de pijn minder. Hij drong binnen, maar ze merkte het niet echt.

Net als toen. Het zware lichaam op haar smalle lichaam. Het was al lang niet leuk meer.
Ze voelde dat het gebeurde, maar het was net alsof ze er niet

helemaal bij was. Het lukte bijna.

Een, twee, drie.

Haar lichaam werd slapper. Het bewoog in het ritme waarop hij in haar beukte.

De pijn was er nog wel, maar het leek van ver te komen. Ze voelde zich als een lappenpop. Hij zou het niet leuk vinden. Vrij plotseling was het afgelopen.

Hij ging van haar af en Julia had het gevoel dat ze met een harde klap in de werkelijkheid terugkwam. Vooral de angst voor datgene wat er ging gebeuren wurgde haar bijna.

Ze voelde dat hij haar oppakte en meenam. Ze probeerde niet te vechten. Haar lichaam deed pijn en haar benen gehoorzaamden nauwelijks genoeg om te kunnen lopen. Ze voelde de koude buitenlucht toen ze door een deur werd meegesleurd. Meteen daarna werd ze op de zanderige bodem van een andere ruimte neergegooid. De deur werd gesloten en ondanks haar blinddoek wist ze dat het nu aardedonker was. Ze voelde de kou van de bodem in haar huid kruipen. Hij had niet eens de moeite genomen haar aan te kleden. Misschien omdat hij haar maar kort nodig had.

Iets kriebelde bij haar benen. Julia trok ze geschrokken op. Haar ademhaling versnelde en haar hoofdpijn ging nu gepaard met een licht gevoel in haar hoofd. Dat en de toenemende onrust in haar lichaam waren tekenen die ze nu niet kon gebruiken. Geen paniekaanval. Alsjeblieft niet, smeekte ze zonder woorden.

Een, twee, drie…inademen, uitademen.

De wei werd weer zichtbaar. Ze duwde het beeld weer weg. Geen tijd om te dromen. Niet nu. Ze moest iets doen, voordat hij terugkwam.

Nu weten we in elk geval dat het geen vrouw is.

Ze wist niet of ze ooit de kans kreeg om het te vertellen. Ze worstelde met haar handen. Het moest mogelijk zijn om die touwen eraf te krijgen. Ze had speling, maar meer dan dat was het niet. Het touw ging niet over haar hand heen. Ze trok, zonder zich iets van de pijn aan te trekken. Halsstarrig bleven ze om de pols zitten. Haar lichaam voelde lam en beurs aan. Als ze haar been bewoog, voelde ze een scherpe pijn. Toch ging ze recht zitten. Weg met haar rug van de koude grond. Veel hielp het niet. De wind drong zich tussen de planken door en joeg de vochtige kou door de berging. Haar armen begonnen gevoelloos te worden. Misschien had ze te veel verwacht. Eerst rusten. De spieren laten kalmeren. Daarna kon ze het opnieuw proberen.

Zonder na te willen denken begon ze haar handen te sluiten en te openen. Daarna tilde ze haar schouders op en liet ze weer zakken. Voorzichtig boog ze haar ellebogen en strekte ze weer. Haar armen waren zwaar maar ze moesten haar redden.

Als er nog wat te redden was.

Ian was net thuisgekomen en had het briefje van Julia zien liggen. 'De Kanthoeve' had erop gestaan. Niet meer en niet minder. Hij probeerde een onbehaaglijk gevoel te onderdrukken terwijl hij het nummer van haar mobieltje indrukte. Onrustig trommelde hij met zijn vingertoppen op de bar terwijl hij wachtte. Hij verbrak de verbinding toen hij de voicemail hoorde en probeerde opnieuw. Niemand nam op. IJsberend door de kamer probeerde hij het nummer nog een keer. Het was niet logisch. Julia liet zelden een bericht achter als ze vertrok. Ook niet als ze zijn Jeep meenam, wat meestal zo was. Alleen als ze daar een goede reden voor had. De reden was in dit geval duidelijk. 'De Kanthoeve' was dicht bij het Grotelse Bos en dat wist ze. Ze kon erheen zijn gegaan voor onderzoek, maar het was ook mogelijk dat ze daar iemand zou treffen. Iemand die ze beter niet had kunnen opzoeken. Ze nam nog steeds niet op. Ian bleef bij de bar staan en sloeg er met een vuist op. 'Stommeling,' zei hij. Hij pakte zijn sleutels van de bar en liep naar buiten.

In zijn woning probeerde de ander Julia ook te bereiken. Het had nu moeten lukken. Na alles wat er was gebeurd moest hij haar spreken. Ze kon hem helpen. Er nam echter niemand op. Misschien later.

Ian reed eerst langs de parkeerplaats waar de auto van Renée was aangetroffen en later over de parkeerplaats van de Kanthoeve. De rode Jeep Wrangler was er niet.

Een paar tellen bleef hij op de bijna verlaten parkeerplaats staan en keek om zich heen.

Hij keek naar de gesloten bomen. Ze kon er niet langs zijn gereden. Niet zonder een pasje. Hij draaide opnieuw haar nummer en wachtte. Weer de voicemail.

Chris, dacht hij. Misschien is ze bij Chris.

Hij startte zijn motor en reed weg. Een onprettig gevoel overviel hem. Alsof er storm kwam.

Nauwelijks een kwartier later stopte hij met zijn motor voor het huis van Chris. De Wrangler was ook hier niet.

Door het raam zag hij het meisje op de grond zitten. Ze deed niets. Zat daar alleen maar.

Chris zag hij niet.

Toch was hij er. Hij deed opvallend vlug open toen Ian aanbelde. Bijna alsof hij daarop had gewacht. Zijn verbazing leek echter niet gespeeld. Misschien had hij iemand anders verwacht. Julia bijvoorbeeld.

'Ian, was het toch? Die fotograaf?'

Ian knikte. 'Heb je Julia gezien?'

Chris schudde nadenkend zijn hoofd. 'Ze was gisteravond hier. Vannacht eigenlijk nog, maar ze is opeens vertrokken. Meggie had nachtmerries en ik vrees dat daar al mijn aandacht naar uitging. Ze heeft veel nachtmerries de laatste tijd. Ik heb Julia nog proberen te bellen, maar dat lukte niet.'

'Wanneer?'

'Een uur geleden, ongeveer.' Zijn gezicht veranderde plotseling. Hij perste zijn lippen opeen, sloot zijn ogen en haalde diep adem. 'Er is toch niets gebeurd, hoop ik?' Hij keek Ian weer aan alsof hij de enige was die hem van een naderende nachtmerrie kon beschermen.

'Ik weet het niet.'

Hij overwoog of hij de Kanthoeve moest noemen.

'Verdomme, iemand viel haar lastig.'

'Ja.'

'Zou hij haar ergens naartoe hebben gelokt?'

'Zou kunnen.'

'Het Grotelse Bos?'

'De Kanthoeve.'

'We gaan.' Chris wachtte niet op een reactie, maar pakte zijn jas en sleutels. 'Ik weet daar de weg. Althans een beetje.'

'Hoe komt dat?'

'Ik kom er vaker met Meggie. Huisjes kijken.' Hij glimlachte vaag en pijnlijk. 'Beroepsdeformatie. Ik bouw ook vakantiehuizen.'

'Meggie?'

'Ik neem haar mee. Ik kan haar niet alleen laten. Te gevaarlijk.' Hij keek vluchtig om zich heen, alsof hij ergens bang voor was. Hij zag de motor.

'We gaan met mijn auto.' Hij liep voor Ian uit naar een witte Mercedes, zette Meggie erin en stapte zelf in.

Nog voordat Ian naast hem had plaatsgenomen, had hij de auto gestart.

Chris reed rechtstreeks naar 'de Kanthoeve.' Ian keek regelmatig naar het gezicht van de man, maar kon niets anders ontdekken dan onrust en angst.

Als hij niet deugt ben ik de volgende, dacht hij. Net zo stom als Julia.

Maar ik ben geen vrouw.

Maar Chris speelde geen rol. Hij was werkelijk bang.

'Ik ben er al geweest,' zei Ian. 'Haar auto was er niet.'

'Dat zegt niet alles. Een auto kun je weghalen.'
'Ja.'

Ian aarzelde niet toen Chris op de kale parkeerplaats van 'de Kanthoeve' zijn auto parkeerde. Hij stapte direct uit en keek om zich heen. De weinige auto's die er stonden glommen van de regen.

Ian liep achter Chris aan, voorbij de slagbomen. Bij de plattegrond bleef Ian staan. Hij staarde naar de wegen die aangegeven waren.

'Waar beginnen we in godsnaam met zoeken?' vroeg hij zich hardop af.

'We lopen ieder een kant op en we vragen de mensen of iemand haar heeft gezien. Er zullen niet veel mensen zijn, maar als ze hier was moet het zijn opgevallen. Juist omdat er bijna niemand is.

Hij pakte Meggies hand vast en liep zonder verdere uitleg naar rechts. Heel even leek Meggie niet mee te willen, maar Chris besteedde er niet te veel aandacht aan en nam haar op de arm. Ian volgde als vanzelf het andere pad.

Precies vier mensen trof Ian. Een oudere man en een jonge vrouw met twee kindjes. Geen van de twee volwassenen had Julia gezien. De kindjes waren nog te klein om iets aan te vragen.

Ian was niet van plan om het zo gemakkelijk op te geven en liep over alle paadjes aan de linkerkant van het park en keek achter de huizen. Het duurde lang voordat hij aan de achterkant van het park was. Zijn hoop was gevestigd op Chris, maar zodra hij zijn gezicht zag, wist hij dat het tevergeefs was geweest. Chris had Meggie op de grond gezet en hield afwezig haar handje vast. Ze trok aan zijn hand. Haar gezicht was volkomen leeg.

'Ik heb overal gekeken. Ieder pad genomen. Ze moet toch ergens zijn,' meende Chris wanhopig.

'Heb je nergens de auto gezien?' vroeg Ian. Natuurlijk niet, dacht hij.

'Nee, maar misschien zie ik iets over het hoofd. Ik ben drie mensen tegengekomen, maar geen van hen heeft haar gezien. Noch de Jeep. Zo'n auto valt toch op.'

'Ik geloof niet dat ze hier is,' zei Ian. Hij keek rond en pakte zijn mobieltje. Opnieuw probeerde hij Julia te bellen. Het resultaat bleef hetzelfde.

'We kunnen in het bos zoeken,' stelde Chris voor.

Ian schudde zijn hoofd, hoe aanlokkelijk het voorstel ook was. Het zou nutteloos zijn. 'We weten niet waar we moeten zoeken. Misschien zit ze ergens met iemand te praten.'

'Misschien. Ik weet het niet.' Hij vloekte.

'Ik bel de recherche. Het is beter als ze het weten.'

'Doe dat. Ik denk dat ik in het bos ga zoeken.' Hij streek met een moedeloos gebaar door zijn gezicht. 'Ik moet toch iets doen. Het is mijn schuld.'

'Het heeft geen zin,' bracht Ian ertegen in.

'Het is waar. Ik had haar erbuiten moeten laten.'

Meggie slaakte een paar korte gilletjes en greep naar haar hoofd.

'Verdomme,' mompelde Chris.

'Wat is er met haar?'

'Hoofdpijn. Ze heeft het regelmatig. Migraine, denk ik.'

Hij pakte haar op en drukte haar tegen zich aan. 'We moeten nog even zoeken,' zei hij sussend tegen haar. 'We moeten Julia nog zoeken.'

Het kind huilde. Ze huilde niet gewoon, maar slaakte kleine gilletjes terwijl haar ogen vrijwel droog bleven. Haar magere schouders schokten.

'Ga met haar naar huis. Je kunt hier niets doen,' zei Ian.

Het meisje begon te spartelen. Haar handen klauwden in haar haren.

'Ze heeft een pijnstiller nodig,' zei Chris afwezig. Met zijn dochter op zijn arm liep hij in de richting van de uitgang. Ian liep achter hem aan. Zijn blik gleed over de stille vakantiewoningen. Af en toe keek iemand naar buiten, maar de meeste huisjes stonden leeg.

Hij geloofde niet dat Julia er was.

Nog een keer keek hij om zich heen toen ze in de auto stapten. Alles straalde kou en verlatenheid uit. De rode Jeep Wrangler was nergens te zien.

Hij voelde zich ellendig toen ze van de Kanthoeve wegreden. Chris noemde twee keer het nummer van de recherche voordat het tot hem doordrong.

'Het is een rechtstreeks nummer,' zei Chris. 'Jorg. Altijd bereikbaar.'

Ian knikte en draaide het nummer.

Julia probeerde het rillen van haar lichaam onder controle te krijgen. De spieren van haar armen verkrampten door de kou. Als ze haar armen niet kon ontspannen, kon ze geen nieuwe poging wagen. Ze deed haar oefeningen weer, maar voelde nog maar nauwelijks wat ze deed. Haar armen leken niet bij haar te horen. Alsof het losse aanhangsels van haar lichaam waren. Ze probeerde te gaan staan, want dan kon ze lopen. Warm worden. Weg van de koude grond. De eerste keer viel ze. Ze sloeg voorover en haar schouders raakten de harde grond. De doffer geworden pijn in haar hoofd vlamde weer op en begon te bonken. De maaginhoud stootte op.

Niet overgeven. Ademhalen. Een, twee, drie.

Ze herstelde zich krabbelde overeind en probeerde opnieuw te gaan staan. Deze keer lukte het. Haar hoofd raakte de bovenkant van het hok. Veel kon ze niet doen. Toch probeerde ze het. Ze begon te lopen en haar benen te bewegen. Spieren prikkelden en protesteerden in het begin, maar het werd vrij snel minder. Alleen de misselijkheid nam niet af. En die doffe, lome pijn in haar armen. Maar ze had tenminste geen kramp meer. Ze moest het opnieuw proberen. Ze bleef staan, haalde diep adem en probeerde in een forse beweging haar hand los te trekken. Het touw sneed in haar pols. Ze wilde gillen, maar haar lippen konden niet bewegen. Alleen een grommend geluid

bracht ze voort. Ze trok verder, maar het touw schoof niet meer. Het bleef zitten bij de knokkels van haar hand. Het paste niet. Ze wilde huilen maar gaf zichzelf daartoe geen kans. Bewegen. In beweging blijven, dacht ze.
Waarvoor?

Ian liep met Chris naar binnen. Hij had Jorg gebeld en uitgelegd wat er aan de hand was. Jorg had beloofd het onmiddellijk door te geven zodat ze op zoek konden gaan. Ian kon alleen maar wachten.
Chris had hem gevraagd om binnen te komen, maar toen hij eenmaal in de woning was, vroeg hij zich af wat hij hier deed. Chris had Meggie een pijnstiller gegeven en stopte haar in bed.
Ian liep rusteloos door de kamer. Hij kon niet hier blijven en simpelweg afwachten.
Hij nam een besluit en rende naar boven.
Chris zat op het bed bij zijn dochter en praatte op gedempte toon tegen haar. Zacht streelde hij de blonde haren. Meggie trok aan haar haren en rolde onrustig op en neer. Ze begon te hoesten en te kokhalzen. Er leek geen einde aan te komen. Een moment lang was Ian bang dat ze zou stikken.
Chris sprong overeind en rende naar de badkamer. Ian hoorde het water lopen, maar het meisje was al opgehouden. Ze staarde naar het plafond.
'Donker. Pijn. Negen, nul, vier, negen nul vier. See' Daarna slaakte ze weer een korte gil en begon opnieuw te hoesten. Chris rende de kamer in en gaf haar water. Ian staarde naar het meisje.
'Wat is er?' vroeg Chris.
'Iets wat ze zei.'
'Wat zei ze?'
'Iets van donker en pijn.'
'De migraine. Ze houdt niet van donker, maar ze kan nu geen

licht verdragen. Dat doet pijn.'
'Ik moet gaan.'
'Kan ik nog iets doen?'
'Nee.'
'Laat iets weten.'
Ian knikte. Hij draaide zich om en liep weg. Hij moest iets doen. Terwijl hij naar de motor liep probeerde hij opnieuw Julia te bellen. Ze nam nog steeds niet op. Vloekend duwde hij het toestel weg onder zijn jas en startte zijn motor. Ze moest toch ergens zijn. Hij reed richting Grotelse Bos toen hij het bord 'de Kanthoeve' zag staan.

Hij bleef staan en staarde naar het bord. 'De Kanthoeve'.
Negen, nul, vier, negen, nul, vier.
Ian aarzelde. Het kon bijna niet en toch... Had Julia het niet over dit kind gehad? Ze zag dingen.
Negen, nul vier. Donker. Pijn. Negen, nul, vier. See.
904c...
De kans was klein. Maar niet klein genoeg. Hij trok weer op. Deze keer richting vakantiepark.

De Jeep was er nog steeds niet. Hij had het ook niet verwacht. Toch zou hij gaan kijken. Er was niets te verliezen.

Julia had een poos rondgelopen. Ze had geprobeerd haar armen in beweging te houden, maar op de een of andere manier was dat niet zo gelukt. Ze voelde niet veel meer dan een doffe, zware pijn. Ze deden niet meer wat ze ervan verlangde, maar hingen nutteloos samengebonden op haar rug. Ze trok haar knieën op en liet ze weer los. Ze moest in beweging blijven. Het was haar enige kans. Opnieuw probeerde ze haar hand los te trekken. Haar arm reageerde nauwelijks toen haar hersens het sein gaven. Hij maakte slechts een slappe, zinloze beweging. Ze liet zich op haar knieën vallen en huilde geluidloos. Op dat moment hoorde ze de voetstappen. Ze bleef doodstil zitten en luisterde naar het bonken van haar eigen hart.

Ian was rechtstreeks naar nummer 904c gelopen. Hij was hier nog niet geweest. Chris had hier gezocht, maar de woning waarschijnlijk niet eens gezien. Als je niet wist dat dit vakantiehuisje er was, zag je het niet. Ian had het eerst ook niet gezien en zich bijna omgedraaid, ervan overtuigd dat hij zich had vergist. Dat de woorden van het meisje niets te betekenen hadden gehad. Maar hij was niet weggegaan. Hij had verder gezocht. Totdat hij bij de containers was gaan staan. Toen pas had hij het gezien.

De voordeur was gesloten geweest en daarom was hij achterom gelopen. Daar had hij de rode Jeep Wrangler zien staan. Onmiddellijk brak hij de ruit. Eerst liep hij door naar de woonkamer. Hij zag de lege rumfles en de peuken in de asbak. Geen sporen van een worsteling. Helemaal niets. Pas toen hij weer naar de kleine hal liep zag hij de rode druppels. Hij ging op zijn hurken zitten en bekeek en Rorschach patroon van rode spetters. Waarschijnlijk was er meer geweest, maar iemand had de vloer gewassen. Gehaast waarschijnlijk, want hij was de plint vergeten.

Ian keek door de openstaande deur van de slaapkamer naar het bed en zag toen pas het mobieltje liggen. Zijn onrust nam toe toen hij het mobieltje onder het bed vandaan haalde en zag hoe zijn nummer was ingeprogrammeerd. Alleen niet ingedrukt. Hij vloekte zacht en keek om zich heen. Niets te zien. Alles was stil.

Het hok

Gejaagd stond hij op en rende naar buiten. Hij rukte aan de oude deur van het houten berghok, maar die gaf niet mee. Hoorde hij iets achter die deur?

Hij rende de vakantiewoning weer binnen, greep een stoel en sloeg de deur van het berghok kapot.

Hij kon niet meteen in de duisternis kijken, maar hij zag wel dat daar iets bewoog. Twee tellen later herkende hij de in elkaar gedoken, naakte gestalte als Julia.

Julia rilde nog steeds toen ze in de Jeep zat. Ze had Ians jas aan en een plaid over haar benen gelegd. De verwarming blies hete lucht naar binnen. Ian staarde door het raam naar buiten. Iedere minuut leek eindeloos te duren.

'Hoe wist je het?' vroeg Julia.

'Meggie.'

'Meggie?'

'Ze was ziek. Hoofdpijn. Ze noemde het nummer.'

'Ze krijgt altijd hoofdpijn.'

Ian draaide zich naar haar om. 'Altijd?'

'Als ze iets ziet.'

Ian schudde langzaam zijn hoofd. 'Ik weet niet goed wat ik ervan moet denken. Ik geloof niet in helderziendheid.'

'Nee. Ik ook niet, maar toch... het lijkt alsof ze beelden ziet. Iedere keer met die hoofdpijn.'

'Misschien hoort ze iets. Niet op een paranormale manier of meer van die flauwekul. Misschien hoort ze iets van iemand.'

'Wie geeft een zevenjarig kind nu dat soort informatie?' wierp Julia tegen.

'Misschien was ze erbij.'

'Och kom nu. Dat kan alleen als Chris... en dan nog.'

'Chris heeft hier gezocht.'

'De woning is nauwelijks zichtbaar. De auto stond aan de achter-kant tussen de struiken.'

'Hij had het kunnen zien,' hield Ian vol. Hij wist niet of hij daar gelijk in had. Hij was kwaad. Hij moest kwaad zijn op iemand. 'Wie zegt dat hij het niet was?'

'Niemand.' Julia trok de jas verder dicht en huiverde. 'Maar ik geloof het niet. Hij rook anders. Klonk anders.'

In haar hoofd hoorde ze die stem weer. Ze voelde de kou, de angst en de pijn. Ze voelde de vernedering. Het hoorde bij die stem. Ze huiverde en onderdrukte een nieuwe golf van mis-selijkheid.

Ik geloof niet dat het Chris was,' herhaalde ze. 'Maar Evelin en Jolien kunnen we uitsluiten. Ook als ze één en dezelfde persoon zijn.'

'En Nicholas?'

'Tja, Nicholas. De grote geheimzinnige. Hij kan iedereen zijn. Martin, Jorg, Chris, de buurman…iemand die we nog niet hebben gezien.'

'De echte Nicholas.'

'Natuurlijk.'

'Verdomme.' Ian sloeg op het stuur.

'Daar komen Jorg en zijn team,' meldde Julia. Ze lette niet op de woede van Ian. Zelf voelde ze helemaal niets. Geen verdriet, geen pijn en geen woede. Gewoon niets, alsof ze verdoofd was.

Ze staarde door de voorruit naar buiten en zag hoe de rechercheur naar haar toe liep. Zijn gedrongen collega liep gehaast achter hem aan. Hun ernstige gezichten waren bleke vlekken tegen een achtergrond van vrolijke herfstkleuren. Julia staarde ernaar. Ze groette niet toen de deur werd geopend. 'Hebben jullie kleren bij je?' vroeg ze alleen maar. Niet meer.

16

Het was bijna avond toen Julia weer thuis was. Ze stond onder een hete douche en schrobde haar lichaam. Ze dacht er niet bij na, maar ging door totdat haar huid helemaal rood was. Ze negeerde de duizeligheid en haar hoofdpijn. Zelfs aan haar misselijkheid wilde ze geen aandacht besteden. Ze moest rust nemen. Liggen. Dat hadden ze haar gezegd. Wisten ze dan niet dat dat helemaal niet ging? Dat ze geen rust kreeg door te liggen? Wisten ze dan niet dat ze hem iedere keer als ze haar ogen sloot weer voelde? Of was het haar stiefvader? Ze merkte dat ze huilde en dat maakte haar woedend. Ze wilde niet huilen. Ze schuurde harder met de borstel over haar vel en concentreerde zich op het water dat in de wond van haar been prikte. Het deed pijn, maar was tegelijkertijd een opluchting. Deze pijn was zuiver en natuurlijk. Niet zoals de pijn die ze diep vanbinnen voelde. Net zo min als dat bonkende hoofd en die misselijkheid. Gewoon een oppervlakkige pijn van haar huid, waardoor ze wist dat ze ook nog andere dingen kon voelen.

'Julia, gaat het?' Het was Ian. Hij stond bij de deur van de douche. Het was al de derde keer dat hij dat vroeg.

'Ja.'

'Er is thee.'

'Ja.'

Ze had geen zin in thee. Iets sterkers misschien. Zoveel dat haar ogen zwaar zouden worden en haar lichaam loom. Zoveel dat ze nergens meer aan dacht. Dat ze hem ook niet meer voelde als ze haar ogen sloot. Zoveel dat ze eindelijk warm werd. Ze zei het niet.

Haar misselijkheid nam weer toe en Julia zette de douche uit en droogde zich af. Ze treuzelde met aankleden. Ian wachtte in de keuken, maar ze had geen zin in zijn bezorgdheid. Het irriteerde haar zoals alles haar nu irriteerde.

Toen ze eindelijk de keuken binnenliep, stond Ian bij het raam en staarde naar buiten. Julia ging zwijgend aan tafel zitten en warmde haar handen aan de mok. Vreemd eigenlijk dat die nog altijd koud aanvoelden. Alsof ze waren afgestorven.

Ze vermeed het om naar de rode striemen op haar polsen te kijken. Ian niet. Toen hij zich omdraaide was dat het eerste waar hij naar keek.

'Ik vermoord hem. Als ik erachter kom wie het is, vermoord ik hem.' Zijn woorden klonken rustig, maar Julia kon de woede erin horen. Ze gaf geen antwoord, maar dronk voorzichtig een slok thee.

'Met het DNA moeten ze achter zijn identiteit kunnen komen.'

'Misschien. Als de dader zijn DNA ook afgeeft.'

'Hij heeft Renée ook vermoord,' zei Ian. 'De politie zegt dat het waarschijnlijk met elkaar in verband staat, maar ik weet het wel zeker. De klootzak heeft met Renée hetzelfde gedaan voordat hij haar dood maakte.'

Julia reageerde nog steeds niet. Ze wilde wel, maar ze wist niet wat ze moest zeggen. Het was net alsof er niets meer in haar zat dan alleen die kou. Kou en hoofdpijn.

'Je moet dadelijk gaan liggen. Je hebt een hersenschudding.'

Julia knikte alleen maar. Ze dronk nog een klein slokje en voelde hoe de warme vloeistof zijn weg door haar slokdarm naar haar maag zocht.

'Je moet rusten en met iemand praten. Het maakt niet uit met wie. Met mij, slachtofferhulp… iemand. Het is niet goed dat je niets zegt.'

'Later.'

Ian ging tegenover haar zitten. Vreemd hoe iemand in zo'n korte tijd plotseling vouwen in zijn gezicht kon krijgen, dacht Julia. Ze voelde er geen emotie bij.

'Julia, ik…' De bel onderbrak haar.

'Drink je thee rustig op. Ik ben zo terug,' zei Ian. Hij stond op en liep weg.

Julia hoorde hem over de trap naar beneden hollen. De stem die ze meteen na het opengaan van de deur hoorde herkende ze meteen. Chris.

Flarden van het gesprek ving ze op.

Ze kon eruit opmaken dat Chris haar wilde zien, maar dat Ian dat niet wilde. Het gesprek klonk vrij heftig. Julia wachtte alleen maar af. Ze wist nog niet of ze hem wilde zien. Ze dronk opnieuw van haar thee.

Toen Ian weer binnenkwam keek ze nauwelijks op.

'Chris is hier. Hij wil je spreken.'

'Dat heb ik gehoord.'

'Wat wil jij?'

Julia staarde in haar thee. 'Laat hem maar komen.'

'Zeker weten?'

'Ja.'

Ze voelde Ians tegenzin, maar ging er niet op in. Ze wachtte totdat hij verdween om kort daarna met Chris en Meggie terug te komen.

'Ik heb gehoord wat er is gebeurd,' zei Chris meteen. Hij ging tegenover haar aan tafel zitten en trok Meggie op zijn schoot. Het meisje reageerde nauwelijks.

'Ik vind het afschuwelijk.'

Julia richtte zich op en vestigde haar blik op hem. Het viel haar op hoe traag haar bewegingen waren. Ze dacht aan Andrea.

'Alles?'

'Wat?' Hij begreep haar vraag niet.

'Weet je alles?'

Hij leek een beetje in de war gebracht en aarzelde. 'Ik weet dat hij je pijn heeft gedaan en heeft opgesloten. Nee, ik weet niet alles. Alleen dat.'

'Hij heeft mij verkracht.' Julia wist niet waarom ze het zei. Het glipte gewoon naar buiten.

'Net als Renée,' zei Chris zacht. Zijn stem leek wat hees, alsof hij had geschreeuwd. 'Hij heeft dat ook met Renée gedaan. Ze zeggen het niet, maar ik weet dat het zo was.' Hij keek kort naar Meggie alsof ze het kon bevestigen. Ze snoof zijn geur op. Ze probeerde zichzelf voor te houden dat ze het uit gewoonte deed, maar ze wist dat het niet zo was. Ze zocht de geur van zweet, aarde en oud karton. Ze rook het niet. Alleen wasmiddel en zeep.

'Ik heb het niet gedaan,' zei Chris plotseling. Hij beantwoordde de blik van Julia. 'Ik weet dat je dat denkt. Iedereen denkt dat. Logisch. Vanwege Renée. Maar ik was het niet.'

'Je vergist je,' zei Julia. 'Ik denk niet dat jij het gedaan hebt.'

'Weet je wie…' vroeg hij. Ze hoorde de verbijstering in zijn stem. Sommige mensen namen iets als te vanzelfsprekend aan. 'Nicholas.'

'Nicholas? Mijn broer?'

'Misschien. Het kan jouw broer zijn, maar het kan ook iemand zijn die zich zo noemt; Nicholas.' Ze keek nu naar Meggie.

Meggie beantwoordde haar blik niet. Ze zat op de schoot en staarde naar haar eigen friemelende vingers.

'Hoe ziet hij eruit?' vroeg Ian. Hij stond tegen de deurpost geleund en keek Chris aan.

'Hij lijkt op mij, maar zijn haren zijn donkerder. Net als zijn ogen. Ik geloof dat hij ook een beetje langer is. Ik heb hem lang niet gezien.'

'Hoe ziet Martin eruit?'

Chris haalde zijn schouders op.

'Hebben ze hem opgepakt?'

'Nog niet. Ze zoeken hem.'

'Is hij verdwenen?'

Chris knikte. 'Net als Nicholas.'

'Evelin kende Nicholas ook?'

Chris knikte. 'Ze zei wel eens dat hij op mij leek. Niet echt een compliment.'

Meggie had een pen te pakken gekregen en kraste op een stuk papier dat Julia had gebruikt voor notities, eindeloos lang geleden.

'Meggie,' reageerde Chris geschrokken.

'Laat maar,'zei Julia. 'Waar zou hij kunnen zijn?'

'Nicholas of Martin?'

'Nicholas. Of Martin.'

'Geen idee. Nicholas was altijd al ongrijpbaar. Vaak zat hij in het buitenland. Hij verscheen en verdween als een duiveltje uit een doosje. Maar dan gevaarlijker.'

Julia keek niet naar hem. Ze hoorde wat hij zei, maar het had weinig betekenis. Ze keek naar het krassende kind. Wat weet je, dacht ze. Het meisje hield haar aandacht op het papier gevestigd.

'Als zand door de vingers,' mompelde Chris.

'Wat?'

'Nicholas is als het zand tussen je vingers. Het glijdt ervan af. Je kunt het niet stoppen, Niet grijpen. Het glipt gewoon weg.'

Julia knikte afwezig. Ze keek naar de tekening van het kind. Een huis en een grote cirkel die ze met heftige beweging zwart kleurde. Ze drukte zo hard op de pen dat ze door het papier heen ging. Haar tong kwam gespannen iets uit haar mond. Ze kraste door. Julia staarde naar het zwarte gat. Ze masseerde haar slapen met haar vingertoppen.

'Laat ook maar,' mompelde Julia. 'We kunnen er later over praten. Mijn hoofd doet pijn.'

'Je moet rusten,' zei Chris. 'Ik had niet moeten komen. Het is alleen... ik wilde dat je het wist. Dat je wist dat ik het niet was.' Hij streek gespannen door zijn haren. 'Denk er niet aan. De recherche lost het wel op. Rust maar uit. Ik bel je morgen.'

Terwijl Ian Chris uitliet, bleef Julia zitten en staarde naar de zwarte cirkel. Haar misselijkheid nam toe.

'Misschien moet ik toch even gaan liggen,' zei ze tegen Ian

toen hij bovenkwam.

'Ik denk het ook.'

Julia keek niet meer naar hem om, maar liep naar haar slaap-kamer en ging liggen. Haar ogen wilden niet dicht. Ze staarden slechts naar het plafond en zagen de zwarte cirkel.

17

De volgende ochtend werd ze vroeg wakker. Veel te vroeg misschien, maar ze wist wat haar de hele nacht niet meer had losgelaten. Ze stond te snel op en wankelde een paar tellen. De slaapkamer leek om haar heen te draaien. Ze wachtte tot het wat beter ging. De misselijkheid en hoofdpijn kon ze verdragen. Voor even in elk geval.

Ze kleedde zich aan en sloop naar beneden. Ze was blij dat de sleutels van de Jeep nog op haar keukentafel hadden gelegen, waar Ian ze de vorige dag had neergelegd.

Bij de deur twijfelde ze nog. Misschien vergistte ze zich. Als dat niet zo was betekende dit misschien het einde. Van haarzelf of van haar nachtmerrie. Ze moest het doen, maar misschien niet alleen. Ze deed wat ze moest doen en ging weg. Het had nog nacht kunnen zijn.

De duisternis was nog niet geweken en donkere wolken dreven in een hoog tempo voorbij. Ze wist dat de duisternis niet lang meer zou duren. Een uur misschien nog. Niet langer.

Ze startte de Jeep en reed weg.

Een uur lang wachtte ze in de auto vlakbij het huis van Chris. Ze stond niet voor zijn huis, maar had haar auto om de hoek geparkeerd. Ze wachtte. Het raam stond open en een koude wind cirkelde door de Jeep. Buiten hoorde ze bijna niets totdat de auto startte. Voordat ze had gekeken wist ze dat het Chris was. Toch stapte ze uit en liep voorzichtig naar de hoek van de straat. Een moment lang was ze bang dat hij haar zou zien. Dat gebeurde niet. Hij hielp Meggie in de auto en reed weg.

Julia wachtte nog een paar tellen. Het geluid van de Volvo stierf weg. Toen pas liep ze naar de woning van Chris. Ze liep

174

meteen achterom en merkte dat de poort openstond.

Ze dacht met opzet niet na toen ze binnenliep, maar liep recht-streeks de tuin , naar de grote cirkel heide die haar al eerder was opgevallen. De bloemen waar Meggie altijd naar staarde. De kleuren die ze gebruikte. Paars en wit...

Julia bleef bij de cirkel staan en staarde naar het aangehark-te zand.

Hoe lang geleden kon de hei daar zijn gepland?

Een jaar geleden? Mogelijk.

In het midden zag ze het kruisje. Minuscuul, onttrokken aan het oog door de bloembladeren en het groen. Maar het was er. Een vaag eerbetoon.

Ze was niet verrast toen ze de voetstappen achter zich hoor-de. Ze keek ook niet om.

'Ze ligt hier, nietwaar?' vroeg ze.

'Ja.'

Langzaam draaide ze zich om en keek naar de man die ze zo goed meende te kennen. Zijn schouders waren niet langer gebo-gen en zijn ogen leken donkerder van kleur. Zelfs zijn gezicht leek een verandering te hebben ondergaan. Het was strakker. Gespannen. Ze besefte dat ze hem in werkelijkheid niet kende. Niet op deze manier.

'Waarom?' vroeg ze slechts.

'Ze verdiende het.'

'Waarom?'

'Ze wilde Chris en Meggie in de steek laten. Ze was slecht.'

'Chris en Meggie?'

Chris keek haar aan alsof hij haar niet begreep.

'Jij bent Nicholas.'

Chris lachte. 'Ja.'

'En Chris?'

'Nee. Chris is er even niet.'

In een flits zag Julia Meggie staan. Ze stond ongeveer een meter achter Chris. Haar gezicht verraadde dezelfde woede die ze eerder bij het meisje had gezien. Alleen was die woede niet tegen haar gericht. Net zomin als de eerste keer. Ze had het verkeerd begrepen.

'Je kunt het niet blijven verbergen,' zei Julia. Achter Chris balde Meggie haar vuisten.

'Nee. Maar dat hoeft ook niet. Ik ga weg met Meggie. Ik ben vaker vertrokken.'

'Jij of Nicholas?'

'Ik ben Nicholas.'

'Waar is je broer?'

Hij lachte weer. 'Chris is weg. Hij is een slappeling.'

'Ik mocht Chris'

'Jij bent ook een slappeling. Je was bang.'

'Gisteren.'

'Ja. En je bent vertrokken. Ik hou er niet van als mensen vertrekken.'

'Nee.'

'Ik zal je moeten doodmaken.'

'Ik denk het niet.' Julia spande haar spieren. Meggie verkrampte. Chris sprong op Julia af en greep haar vast.

Zijn greep was opvallend sterk. Ergens op de achtergrond gilde Meggie. Ze klauwde naar haar hoofd en gilde. Julia draaide zich om en zette haar knie zo hard ze kon in zijn kruis.

Een moment lang verslapte zijn greep. Ze rukte zich los en wilde wegrennen. Hij was echter te snel. Hij greep haar arm vast. Ze voelde een harde ruk. Bijna alsof haar arm er werd afgetrokken. Ze wilde schoppen, maar hij was vlugger. Een harde klap raakte haar gezicht. De misselijkheid kwam in alle hevigheid terug. Ze voelde haar benen trillen. Ze leken haar niet meer te willen dragen. Zwarte cirkels bewogen voor haar ogen.

Vecht.

Hoe had ze hem opnieuw kunnen onderschatten? Zijn greep werd sterker.

Waar bleven ze?
Hij sloeg haar opnieuw.
Hij slaat mij dood.
Haar knieën bogen. Ze knielde. Onvrijwillig knielde ze. Haar hoofd barstte bijna. Hij boog zich over haar heen en greep haar haren vast.

Tussen de zwarte cirkels door zag ze plotseling dat kwade kindergezicht. Vertrokken tot een masker. De blonde haartjes wapperden in de wind. Haar armen waren opgeheven.

Een moment later zakte hij ineen. Als een robot die werd uitgezet viel hij voor haar neer. Een dunne straal bloed sijpelde tussen zijn haren door. Achter hem stond Meggie. In haar handen had ze een schop. Haar blik was weer net zo leeg als anders. De woede was verdwenen. Ze stond daar alleen maar en keek neer op haar vader.

'Nicholas is stout,' fluisterde ze. Ze liet de schop uit haar handen vallen en rende terug naar binnen.

Op de straat voor het huis stopten enkele auto's.

Julia wist wie het waren. Ze kroop achteruit, weg bij Chris. Of Nicholas. Vanuit haar ooghoeken zag ze Meggie in de poppenhoek zitten. Ze speelde niet, maar zat ineengedoken in een hoek. Haar vingers woelden onrustig door haar haren.

Julia zag Ian het eerste. Jorg kwam als eerste door de poort, maar Ian liep direct achter hem. Ze zag de blik in zijn ogen toen hij haar zag.
'Waarom?'
'Ik moest het doen.'
'Je had iemand kunnen waarschuwen.'
'Dat heb ik gedaan.'
'Te kort voordat je wegging. Je had ons eerder moeten waarschuwen,' zei hij ongeduldig. Hij liep naar haar toe. Zijn blik was op Chris gevestigd.
'Nee. Ik wilde… ik wilde dat hij de prijs betaalde. Ik wilde

niemand meer… niemand meer toestaan…' Ze zweeg. Haar mond was droog. 'Nooit meer.'

'Hij was sterker.'

'Natuurlijk. Ze zijn altijd sterker. Je weet het niet, maar op het eind winnen ze toch,' mompelde ze.

'Deze niet,' zei Jorg. Hij zat op zijn hurken naast Chris.

'Is hij dood?'

'Nee.'

'Dan… '

'Dan wint hij nog niet. Hij heeft een lange tijd te gaan.'

Jorg draaide zich om naar het woonkamerraam. Achter de ruit zat Dré op zijn hurken bij het meisje. Meggie zat nog steeds in de hoek gedrukt. Ze leek niet te reageren.

'Zij ook,' zei Jorg zacht.

'Alleen heeft zij het zelf nooit gewild.'

EPILOOG

Voor het eerst was haar woning weer eens opgeruimd. Vanuit haar bed keek Julia tevreden haar kamer rond. Haar hoofd deed lang niet meer zoveel pijn en de wonden waren bedekt met jeukende korsten.

'Ik vind het tof van je dat je die poetsvrouw hebt geregeld.' Ze keek naar de vertrouwde gestalte op de rand van het bed. 'Ik geloof niet dat het ooit zo netjes was.'

'Ik zou zeggen, hou het zo, maar dat zal toch wel niet lukken.'

'Absoluut.'

'Wedden?'

'Laat maar. Je kunt mij toch nooit betalen.'

Julia kwam een klein beetje overeind. 'Heb je nog iets van Meggie gehoord?'

Ian knikte. 'Triest verhaal.'

'Heb je alle informatie kunnen vinden?'

Ian knikte. 'Min of meer. Ik ben fotograaf, geen journalist.'

'Ik verwerk het verder wel.'

'Wist je dat Chris haar gebruikte?'

Julia schudde haar hoofd.

'Of beter gezegd zijn alter ego, Nicholas. Chris leed al vanaf zijn zesde aan een Dissociatieve Identiteitsstoornis. Nicholas was als zijn anderhalf jaar oudere, rebelse broer. De echte Nicholas. De jongen die nergens om gaf, geen pijn of verdriet kende en van zich afsloeg. Zo wilde Chris ook zijn. Daarmee is het waarschijnlijk ook begonnen. Chris veranderde in Nicholas om zijn angst te verdringen. Waarschijnlijk werkte het wel toen hij nog jong was, maar later had Chris had het niet meer in de hand. Uiteindelijk werd Nicholas gewelddadig en overheersend. De overschakeling gebeurde zonder dat hij het wilde.'

'Dat weet ik.'

'Ja. Alleen niet hoe het kwam. Ik heb vandaag een vroegere arts van hem gesproken. Hij beschreef Chris als een onopvallend jongetje. In zichzelf gekeerd, maar dat wisten we al Het duurde een tijd voordat hij ontdekte dat Chris een gespleten persoonlijkheid had. Dat er momenten waren waarop de angstige, verlegen, Chris veranderde in iemand anders. In iemand zonder angst, in iemand die heel anders was dan Chris. Ze wisten toen nog niet om wie het ging. De arts kende Nicholas niet en ik geloof niet dat de vader het zou opmerken. Toen die stoornis eenmaal aan het licht kwam, ontdekte de arts ook de mishandelingen. Het was iets waarmee Chris was opgegroeid, maar vanaf het moment dat zijn moeder vertrok -hij zal ongeveer vijf jaar zijn geweest- werd het erger. Mishandeling, vernedering, opsluiting, seksueel misbruik. Noem maar op. Op school wisten ze nergens van,' vertelde Ian.

'Is hij ervoor behandeld?'

'Ja. Het heeft niet veel geholpen. Chris en Nicholas verhuisden naar een opvangtehuis, waar vooral Nicholas voor veel problemen zorgde. Naar hem ging dan ook de meeste aandacht uit. Met Chris leek het redelijk te gaan. Hij was wat stil en stijfjes en slikte medicijnen. Hij viel eigenlijk niet op. Ik denk dat de stoppen pas weer doorsloegen toen Evelin wegwilde.'

'Eerder,' zei Julia. 'Ik denk rond de tijd dat de echte Nicholas naar het buitenland vertrok en hem alleen achter liet. Nicholas werd op zijn veertiende overgeplaatst vanwege zijn moeilijke gedrag. Hij liep regelmatig weg en werd dan weer verplaatst. Al die tijd had hij nog regelmatig contact met Chris, alsof hij zich verantwoordelijk voor hem voelde. Rond zijn achttiende verdween hij opeens en liet niets meer van zich horen. Later werd duidelijk dat hij naar het buitenland was vertrokken, maar op dat moment was dat nog niet bekend. Chris voelde zich in de steek gelaten en werd nog stiller. Ogenschijnlijk tenminste. Alter ego Nicholas deed weer zijn intrede, waarschijnlijk om de echte te vervangen.'

'Je heb wel goed je huiswerk gedaan.'

'Jorg heeft zijn huiswerk gemaakt. Hij heeft mij gebeld. Misschien omdat hij mij wel mocht, maar misschien ook omdat ik daar vreselijk om heb gezeurd. Chris bezocht hoeren en peepshows als Nicholas. Het was Chris, of zijn alter ego Nicholas die de hoeren mishandelde. Niemand wist ervan omdat hij de pooiers betaalde. Niemand bracht hem in verband met de schuchtere Chris. Iedereen dacht dat het om de echte Nicholas ging. Een hoertje dat hem herkende in de krant belde mij. Nu pas. Had ze maar eerder gebeld. Ze wilde haar verhaal in de krant. Waarom weet ik niet. Misschien de behoefte aan aandacht. Het doet er ook niet toe. Ze krijgt haar zin. Volgende week ga ik met haar praten. Weet je trouwens waar de echte Nicholas is?' Julia keek Ian onderzoekend aan.

'Nee. Hij schijnt in Mexico te zitten. Het vakantiehuis is van hem, maar hij is er al ruim een jaar niet meer geweest. Hij komt hier maar zelden. Alleen als hij iets moet. Ik denk dat hij nergens vanaf weet.'

'Zou het iets hebben uitgemaakt?'

'Waarschijnlijk niet. Waarschijnlijk zou het hem niets hebben uitgemaakt. Nicholas bouwde in zijn pubertijd een lange lijst van delicten op. Diefstal, geweld, noem maar op. Misschien leek hij op zijn vader. Nicholas is geen aardige kerel.'

'Allebei niet,' mompelde Julia.

'Nee. Wat ga je nu doen?' vroeg Ian.

'Ik pak straks mijn laptop en werk het verhaal verder uit. Ik moet nog wat informatie inwinnen, maar de belangrijkste zaken zijn er.'

'Je hebt ook nog met Martin gepraat?'

'Ja.'

'En?'

'Een eikel. De enige bestaansreden van zijn sekte is het leve-

ren van winst. Voor hem dan. Echt een leuke jongen. Ik denk dat hij ook kinderen gebruikt, maar er is nog geen bewijs.'
'Ik neem aan dat je erachteraan gaat?'
'Allicht.'
'Zeker doen. Hij zal je dankbaar zijn.'
'Ik ben voorzichtig.'
'Dat hebben we gemerkt. Wat moest Martin trouwens van jou?'
'Hij had mij nodig. Hij wist dat Evelin verdwenen was en dacht eerst dat Chris haar ergens voor hem had verborgen. Martin zag op dat moment Evelin al als zijn eigendom en hield er niet van als hem die ontnomen werd. Hij belde Chris een paar keer en ze kregen ruzie. Hij wilde erheen gaan, maar op de een of andere manier heeft hij die stap nooit genomen. Ik denk dat hij Chris niet vertrouwde. Zo was hij wel. Een lafbek. Om Chris verder dwars te zitten ging hij met Renée in zee. Dat Renée gemakkelijk te beïnvloeden was en er goed uitzag zal hebben meegespeeld. Eerst maakte hij haar een beetje bang om daarna als held op te treden. Alles leek goed te gaan. Ze geloofde hem, gaf hem geld en toen…'
'Toen verdween ze.'
'Juist. Martin dacht weer aan Chris en ging hem in de gaten houden. Hij ontdekte dat er iets mis was met Chris en probeerde hem af te persen. Hij dreigde met mij te praten als Chris niet over de brug kwam. Chris was echter niet bang voor hem. Hij wist meer van Martin af dan hem lief was en was ervan overtuigd dat hij zich wel rustig zou houden. Dat bracht Martin op het idee om met mij hetzelfde te doen als met de andere vrouwen. Vooral toen hij zag dat Chris gevoelens voor mij leek te krijgen. Het lukte alleen niet zo. Overigens bleef Chris ook tegenover Martin alles ontkennen. De verf en het briefje waren Martins werk. De rest niet.'
'Die nacht dat iemand in jouw woning was geweest. Dat telefoontje over die verf…'
'Chris. Hij was niet in de woning geweest, maar ik had hem

verteld wat er was gebeurd. Hij wist dat ik de rommel niet had opgeruimd. Dat heb ik tegen hem gezegd en daar heeft hij dankbaar gebruik van gemaakt.'

'Was hij degene die steeds belde?'

'Niet steeds. De waarschuwingen en de afspraak bij *Mijl op Zeven* kwamen van Martin. Het laatste telefoontje van hem heb ik nooit ontvangen. Toen was ik… nou ja. De rest deed Chris. Hij bestuurde ook de BMW. Hij had twee auto's. De BMW, die in een gehuurde garage stond, en de Volvo. Chris, of beter gezegd zijn alter ego, genoot van macht. Hij genoot ervan om iemand bang te zien. De sterkste te zijn.'

'Dus hij belde ook als Jolien?' Ian klonk ongelovig. 'Dat moet je toch merken.'

'Niet echt. Hij belde mobiel vanuit de stad. Hij huurde een drugshoertje in en stoorde opzettelijk de lijn. Het interesseerde haar geen bal wat ze moest zeggen. Als hij maar betaalde.'

'Chris is behoorlijk gestoord. Ik hoop dat Meggie het redt. Ze heeft teveel gezien. Teveel meegemaakt.'

'Ze heeft alles gezien. Niet alleen wat er met Renée en jou is gebeurd, maar ook met haar moeder. Ze heeft gezien hoe Chris als Nicholas haar moeder tijdens die ruzie van de keldertrap duwde en wist dat hij haar daar gevangen hield totdat ze stierf. Ze heeft toegekeken hoe hij haar begroef. Ze had geen andere keuze. Dat zijn dingen die ze nooit zal vergeten. Misschien is dat zelfs erger dan de mishandeling en het misbruik.'

'Misschien. Ik denk dat je niets ooit vergeet.'

'Ze was helemaal niet autistisch. Wist je dat?'

'Ik had het al begrepen.'

'Ze trok zich terug uit de echte wereld omdat het te veel pijn deed. Soms deed ze zichzelf pijn. Zoals de keer met het mes. Chris wist dat echt niet. Ook niet dat zij het gas aanzette.'

'Ze vluchtte. En toch niet helemaal. Ze gaf signalen af. Ze durfde niets te zeggen, maar ze gaf signalen af. Ik denk dat er diep in dat angstige meisje een heel dapper kind schuilt.'

'Niemand zou zoiets een kind mogen aandoen.'

'Nee.' Julia staarde voor zich uit.

'Ook niet als ze ouder zijn,' zei Ian. 'Zelfs jij kunt niet vergeten.'

'Bepaalde dingen vergeet je nu eenmaal niet.'

'Hoe ver ben je met je zoektocht naar je echte moeder?'

'Zweden.'

'Zweden? Hoe kom je daar in godsnaam terecht?'

'Het schijnt dat ze daar heeft gewoond.'

'Zweden… Ik neem aan dat we naar Zweden gaan?'

Julia glimlachte. 'Het is een mooi land. Rustig. Stil. Goed om er weer helemaal bovenop te komen. Tussendoor kan ik schrijven. Materiaal genoeg. Ook voor fotografie.'

'Landschappen?'

'Geen zorgen. Er zijn ook mooie vrouwen.'

'Ja, ja. Ik geloof alleen niet dat jij echt tot rust komt. Niet zolang je leeft.'

'Voor rust heb ik tijd zat. Als ik dood ben.'

'Dan nog…'

Einde.

Uit het crime-fonds van Uitgeverij Ellessy:

Het lied van de lijster, Gerard Nanne (2002)
Moederdier, Gerard Nanne (2003)
De reigerman, Gerard Nanne (2004)
Eindhalte Hamdorff, P.J. Ronner (2002)
Schoon schip, Gerry Sajet (1999)
Laatste trein, Gerry Sajet (2001)
Zand erover, Gerry Sajet (2002)
Troebel water, Gerry Sajet (2003)
Glad ijs, Willemien Spook (2000)
Basuko, Herman Vemde (2001)
Sarin, Herman Vemde (2002)
Oranjebom, Herman Vemde (2004)
Het hoofd, Jacob Vis (1994)
De bidsprinkhaan, Jacob Vis (1994)
De infiltrant, Jacob Vis (1995)
De Jacobijnen, Jacob Vis (1997)
Wetland, Jacob Vis (1998)
Morren, Jacob Vis (2001)
Brains, Jacob Vis (2002)
De muur, Jacob Vis (2003)
Barabbas, Jacob Vis (2004)
Moeders mooiste, Anne Winkels (2002)